INITIATION ET SAGESSE
DES CONTES DE FÉES

« Spiritualités vivantes »

DU MÊME AUTEUR

Yoga et ésotérisme, Éd. Épi, Paris, 1973.

Yoga de la Kundalini, par Sri Swami Sivananda, traduction de Dennis Boyes, Éd. Épi, Paris, 1975.

Le Yoga du sommeil éveillé, Éd. Épi, Paris, 1975.

Les Bas-hurlements, Les Paragraphes littéraires de Paris, 1976 (théâtre).

Un siècle de rêves, Éd. Saint-Germain-des-Prés (poèmes).

Techniques d'approfondissement du yoga, Éd. Épi, Paris, 1978.

Yoga de la femme enceinte, Éd. Épi, Paris, 1980.

Techniques mentales et spirituelles du yoga, Éd. Épi, Paris, 1985.

Évolution intérieure et problèmes psychologiques, Éd. Dervy-Livres, Paris, 1986.

Le Yoga, le couple et la société, Éd. Dervy-Livres, Paris, 1988.

DENNIS BOYES

Initiation
et sagesse
des contes de fées

© Edition, Albin Michel S.A., 1989
22, rue Huyghens, 75014 Paris.

Albin Michel

Collection « *Spiritualités vivantes* »
fondée par Jean Herbert
Nouvelles séries dirigées par
Marc de Smedt

ISBN : 2-226-03421-8
ISSN : 0755-1835

A ma fille, Viveka

Ce livre s'enracine dans les influences qu'eurent sur mon enfance des personnages comme Parsifal, Arthur, le Brave Petit Tailleur, le Petit Poucet, puis dans mes expériences d'éducateur d'enfants handicapés dans les écoles communautaires steinériennes. J'eus alors de nombreuses occasions d'observer le rapport entre les types psychologiques et les héros des contes, correspondances qui expliquent pourquoi l'enfant réclame souvent la même histoire, celle qui incarne ses problèmes, tendances et besoins. Nourri et bercé par *son* conte, l'enfant s'endort, satisfait. Pendant son sommeil, les images du récit lui dévoilent leur signification et travaillent dans les profondeurs de son être, y effectuant les métamorphoses qui l'aideront non seulement à affronter, comprendre et surmonter les difficultés présentes et futures, mais aussi à emmagasiner les forces nécessaires à l'éclosion de son évolution intérieure. Ainsi, les contes deviennent pour lui un guide à la fois pragmatique et spirituel.

*Les contes de fées sont
le médicament de l'âme.*

L'ORÉE DES BOIS

Les événements qui se déroulent dans les contes de fées induisent chez l'enfant et l'adulte une suite de remises en question et d'interrogations, non pas verbales mais psychologiques.

Poussés par une force invisible, comme s'ils obéissaient à une voix intérieure, des enfants prennent congé de leurs parents afin de tenter leur chance dans le vaste monde. Suivant leur conscience, ils se marient en dépit du refus familial. Souvent, ils adoptent de nouveaux parents, plus proches de leurs idéaux et ne reviennent plus à la maison natale. Veut-on ainsi professer une autorité supérieure à la tutelle parentale ? Veut-on préconiser la rupture du lien sanguin au profit de la relation spirituelle ? Veut-on rejeter la conformité et la discipline ? Si oui, pourquoi ?

On tranche des têtes et on brûle des vivants, puis on les ressuscite en un clin d'œil. Fait-on appel à la doctrine de la métempsycose ? Ou à la mort intérieure qui amène la renaissance ? Ou, puisque l'essentiel ne meurt pas, la mort

11

est-elle sans importance pour qu'on en fasse si peu de cas ?

Invariablement, le « bon » gagne la princesse, le trésor et vit heureux pour toujours, alors que le « méchant » finit dans le malheur, voire la destruction. Est-ce de la fantaisie ? de l'idéalisme romantique ? ou l'indication de lois secrètes qui régissent l'univers, distribuant à chacun exactement ce qu'il lui faut pour vivre, évoluer ou mourir ? Existerait-il donc une protection pour les bons et un châtiment pour les méchants ? Protection pour le corps, ou pour l'Âme ? Châtiment en ce monde, ou dans l'autre ?

Le héros commet maintes erreurs et se fourvoie dans nombre de chemins, mais grâce à ces fautes mêmes, l'aide vient et détermine sa réussite. Est-ce à dire que celui qui ne perd pas sa direction risque de ne jamais la trouver ? Ou qu'il n'y a point de direction ? Ou serait-ce pour rassurer l'enfant et lui permettre d'espérer malgré ses méfaits ?

On met en scène un prince, un vaillant chevalier, bref, un homme qui a pour unique préoccupation celle de sonder l'inconscient (le lac, les cryptes, le géant, le dragon, les grottes), de se purifier (grâce aux épreuves qu'on lui impose), puis de délivrer une princesse enchantée (l'Âme). Est-ce proclamer comme seul but de l'existence la connaissance de soi ? Si oui, comment y parvenir ? Quelle est la place des relations, de l'ambition sociale, de la politique ?

S'il est vrai, par ailleurs, que les contes de fées possèdent des vertus thérapeutiques pour un psychisme ravagé, qu'ils guident astucieusement l'enfant à travers les problèmes de la vie et constituent un charmant divertissement pour tous, leur apport constant et principal semble être la préparation aux difficultés rencontrées lors de la quête du Soi, de l'Âme.

Voici tout le drame des contes de fées : l'Individualité véritable de l'être humain, in-divisible, prête sa lumière au psychisme et, comme l'auteur invisible du jeu de marionnettes, permet au spectacle (les fonctions mentales) de s'animer. Mais, par un curieux « hasard », et contrairement aux pantins, il s'installe entre le Soi et le moi un apparent conflit d'intérêts, l'un imposant l'impersonnel, l'autre recherchant le plaisir. Cette opposition est dépeinte de plusieurs façons. Par exemple, le protagoniste du conte, après avoir perdu sa fortune, et avec elle, tous ses amis, se retrouve seul dans son château vide au coin d'un feu vacillant. Malgré sa révolte, il lui faudra accepter sans amertume sa perte pour que la paix et l'amour naissent de la débâcle. En comprenant ce que son Individualité attend de lui, le moi pourra relâcher ses résistances, même si la question « Pourquoi la vie m'a-t-elle créé pour ensuite me rendre malheureux et me détacher d'elle à coups de bâton ? » n'a pas encore reçu de réponse. Pierre d'achoppement du pèlerin que la crainte de quitter ce qu'il connaît. Il ignore les conséquences qui seront occasionnées par la rupture des attaches étriquées de son monde privé. Cette épreuve constitue le fondement des contes de fées.

13

Quand le moi se rebelle contre les desseins du Soi, celui-ci agit sur la personnalité par le biais d'affleurements de l'inconscient qui lui renvoient ce qu'elle refuse de contraintes, de difficultés quotidiennes, de défauts et de problèmes psychologiques qui, par l'intermédiaire de la jalousie, de la colère, de l'ambiguïté, etc., poussent le sujet à se transformer. Interviennent également des situations impossibles et ennuyeuses qui cassent les structures quotidiennes, le cafard et l'insatisfaction qui brisent les vieilles valeurs.

S'appropriant ces défauts, problèmes et circonstances, l'ego ne peut blâmer que lui-même de sa déchéance, décuplant ainsi sa douleur. Voilà pourquoi, dans les contes de fées, le héros doit tout perdre avant de découvrir l'oiseau d'or ou la princesse.

Sans sous-estimer les autres interprétations des contes (historiques, littéraires, ethnologiques, psychanalytiques, naturalistes, astronomiques, philosophiques), nous exposerons particulièrement leurs aspects psychologiques, éducatifs, ésotériques et spirituels.

Les contes de fées, prenant leurs images dans la poursuite du bonheur par l'union du moi avec l'Absolu, tendent à corriger notre habitude de chercher la félicité là où elle ne peut se trouver. Ces données sont nécessaires pour comprendre la perspective juste de ces histoires et, par conséquent, pour adopter la façon appropriée de les conter : non seulement avec l'intellect ou l'émotion (qui donnent une appréciation partielle, soit histo-

rico-structuraliste, soit sous forme de rêveries imaginaires), mais en s'efforçant d'unifier sa tête et son
cœur dans une perception qui n'éclipse ni la
lucidité ni le sentiment. Alors seulement se dévoile
le sens profond des contes, qui nourrissent ainsi les
forces spirituelles étouffées par un rationalisme
trop étroit. Un tel renouvellement devient aujourd'hui une nécessité pressante si l'on veut ne pas
éteindre totalement la petite flamme au fond de
soi. Serait-ce la raison du regain d'intérêt pour ce
type de littérature dont les racines remontent
pourtant à de très anciennes étapes de l'évolution
humaine, au-delà de l'émergence de la pensée
discursive telle que nous la connaissons actuellement ? Le cinéma lui aussi s'est emparé des contes
de fées, comme s'il tentait de rompre le carcan de
ses images matérielles et sans vie, comme si le film
voulait dévoiler ce qui, normalement, dépasse son
domaine et ses possibilités. S'agit-il d'un essai pour
insuffler aux figures plates et mortes de l'écran une
vibration venue d'ailleurs, en les complétant avec
les représentations correspondantes qui émanent
du tréfonds de la psyché ? Est-ce la loi des
contraires qui attire la nuit vers l'aurore, et le
grossier vers l'intangible ?

De l'interprétation réaliste ou spiritualiste des contes

Bettelheim[1], parlant de la rivalité entre Cendrillon et ses sœurs, dit que le conte assure au cadet infériorisé qu'il dépassera un jour ses aînés. Selon ce mode de pensée, les contes de fées favoriseraient la rivalité comme facteur d'évolution de l'enfant, qui poursuivrait alors le même schéma dans le monde adulte sous forme d'ambition et d'adhésion au système hiérarchique. Ces conclusions découlent d'une exégèse où les personnages sont considérés comme individuellement distincts les uns des autres, appréciation effectivement la plus évidente. C'est vrai, alors, que les uns paraissent totalement méchants, et les autres exclusivement bons. Par contre, tout change si l'on estime que les sœurs, Cendrillon et la mère sont des entités constitutives d'une seule personne. Dans ce cas, le bien et le mal cohabiteraient dans une même âme. Il me semble utile de retenir ces deux sortes d'interprétations lors d'une lecture des contes, afin qu'ils restent ouverts à plusieurs possibilités évolutives. Ainsi, la séparation des personnages en individualités autonomes correspond au stade où l'enfant, trop jeune et trop vulnérable encore pour voir le mal en lui-même, a besoin de projeter ses défauts sur les autres. Le deuxième type d'interprétation se réfère au stade où l'enfant, devenu adulte

---

1. Bettelheim, *Psychanalyse des contes de fées,* chapitre sur Cendrillon.

et mûr, doit apprendre à cesser d'attribuer le mal à autrui et à se regarder lui-même dans toute son ambiguïté. En réalité, l'enfant incarne à la fois la vilaine marâtre, les méchantes sœurs, Cendrillon, et leur rivalité désigne le conflit entre les tendances égoïsto-animales et morales. Le jeune lecteur devra un jour en prendre conscience et les images des contes, déposées profondément en lui, l'y aideront. Si son inconscient traduit ces images de cette manière, alors les contes ne susciteront pas d'antagonisme familial et social, mais éveilleront en lui l'auto-observation et l'auto-investigation.

Dans les anciennes versions du conte, seule la marâtre était hostile à Cendrillon, ce qui élimine le problème de la tension entre frères et sœurs. En effet, à l'époque lointaine où apparurent les contes, la psyché, moins fragmentée que de nos jours en diverses tendances, s'accordait davantage avec le bien. Le seul obstacle à la pleine manifestation de celui-ci provenait du sens de l'ego, naissant alors vaguement et personnifié dans les contes par la marâtre. Ces éléments décrivent le drame humain tout entier : la psyché sera-t-elle gouvernée par le moi ou par le divin ? Les sœurs deviennent franchement hostiles à Cendrillon dans les versions plus récentes parce que, suite à la différenciation de l'âme en divers aspects au cours de l'histoire, nos résistances envers le divin se sont accentuées et ont inauguré l'ère matérialiste. Cendrillon (l'Âme), alors complètement étouffée par la marâtre (le moi) puis, de plus en plus, par ses sœurs (les défauts, les résistances, les facultés

17

humaines), ne remportera pas la victoire finale au moyen de sa réussite ou de sa supériorité sociale ni même de sa beauté physique, mais grâce à l'Âme en elle qui lui permet de s'unir au prince (l'adepte, l'initié). Celui-ci, grâce au discernement qu'il a développé, sait distinguer Cendrillon des autres femmes — le bien du mal, l'éternel de l'éphémère.

Voici un autre exemple d'une interprétation réaliste. Les contes de fées, comme le remarque Bettelheim[1], ne disent jamais, à la fin de l'histoire, que l'héroïne est amoureuse du prince, et semblent même éviter délibérément d'en parler. L'auteur conclut que les contes de fées n'accordent aucune confiance au coup de foudre tout en valorisant, chez la femme, son aptitude à se laisser aimer passivement.

Le sens devient tout autre si l'on considère Cendrillon et le prince comme symbole de l'union entre l'esprit et l'Âme au sein d'un individu. Dans ce cas, les contes s'abstiennent de préciser que l'héroïne tombe amoureuse du prince pour être conformes à l'enseignement spirituel, d'après lequel il n'existe pas deux Soi, mais un seul. Cendrillon et le prince ayant atteint l'Être unique, n'ont personne d'autre à aimer car ils ne font qu'un. L'ego, en tant qu'entité distincte, a été abandonné. Il s'agit d'un *état* d'amour, et non pas d'un désir dirigé sur autrui. Si les contes disaient que la princesse est amoureuse du prince, ils sèmeraient dans l'inconscient des enfants l'image

1. *Idem* chapitre sur le cycle du fiancé-animal.

que l'ultime bonheur est encore duel. Lors de l'union finale, le prince non plus ne déclare pas son amour. Il le fait parfois au moment des premiers contacts, quand, en quête, il ne vit pas encore l'intégration totale.

La même idée imprègne les exploits bibliques grâce à l'image du Dieu jaloux. Jaloux parce qu'Il est unique et ne veut pas qu'on en vénère un autre. Il deviendrait alors coléreux devant notre besoin d'idolâtrie que nous transformons en projetant une image idéalisée sur autrui.

Sans rejeter l'exégèse psychanalytique des contes de fées réalisée par Bettelheim et valable à un certain niveau de formation psychologique, c'est surtout l'interprétation spiritualiste, refusant de réduire les contes à une initiation à la vie sexuelle et sociale, qui primera ici. Pour illustrer ce point, parlons du même chapitre du livre de Bettelheim, où il explique que le mari-animal (le prince-grenouille) ne peut retrouver sa forme humaine que grâce à l'amour, au baiser ou au geste compatissant d'une belle fille. Ces situations signifieraient, selon lui, que la femme doit surmonter son aversion pour l'aspect animal de la sexualité (p. 412) si elle veut vivre une relation heureuse. Assurément cela est vraisemblable, mais je préfère considérer le mari-animal comme la partie négative de l'inconscient, et le baiser de la princesse comme son courage de voir en face l'ombre qui vit en elle. Ainsi, la grenouille ne figure pas seulement un pénis, et l'épreuve qu'elle fait subir à la princesse, pas uniquement un apprentissage de l'acte sexuel et du dépassement du dégoût. Quand la fille jette la grenouille contre le mur, ce qui la transforme en prince, il ne s'agit pas d'un acte de colère, de répulsion ou de haine, mais d'une façon d'appréhender l'inconscient sans s'y enliser, en restant lucide et spectatrice et en maîtrisant non pas sa répugnance du sexe, mais sa peur du contenu inconscient, lequel, vu de face, se métamorphose et révèle son contraire : l'angoisse dévoile la joie, et la peur laisse apparaître l'amour comme la grenouille devient prince.

Lorsque la grenouille insiste pour manger et dormir avec la princesse, elle ne symbolise pas exclusivement un petit garçon qui veut vivre en symbiose avec sa mère, manger dans son assiette, dormir dans son lit (p. 417), mais elle personnifie également la pression exercée par l'inconscient sur le moi afin de parvenir à la conscience. Si les enfants jouent joyeusement avec les crapauds, les limaces et les couleuvres, c'est peut-être parce qu'ils sont plus proches que les adultes de l'inconscient, d'où l'importance de leur vie fantasmatique.

La Quête

Les images contenues dans les contes de fées traduisent une communion étroite entre l'homme, la nature et les lois universelles. Elles sont païennes et chamaniques, car elles divinisent la terre en y percevant, non pas des substances minérales, mais l'action des fées, des gnomes et des salamandres. Les légendes introduiront ensuite l'intervention des dieux, et la religion parlera des anges, des élohims et des séraphins. Tous servent le même Dieu. La coloration chrétienne qu'on a pu attribuer aux aventures d'Arthur, d'origine celte, montre le fonds commun d'une seule quête : celle de la fraternité, de l'alliance.

A Tintagel, en Angleterre, où s'effritent les ruines du château supposé d'Arthur, on trouve également des vestiges celtes, témoins peut-être du lien entre Merlin le chamane et Arthur, chez qui l'âme païenne rencontra le mystère christique.

Rien n'est prouvé, mais les Anglais se plaisent à l'idée qu'aux temps anciens, les pieds de Joseph d'Arimathie foulèrent les champs de Glastonbury et y apportèrent la coupe de la Cène. Selon les uns, elle tomba dans les mains de Merlin qui la cacha au fond d'une grotte de la côte ; selon les autres, elle fut donnée à Arthur et enterrée avec lui sous la colline sacrée du même lieu. Les eaux qui jaillissent du mont sont guérissantes parce qu'elles coulent sur la poitrine d'Arthur où le Graal est posé. Or, le secret de la colline taillée en labyrinthe de sept spirales s'apparente à celui de l'identité véritable de l'homme, laquelle, enveloppée des sept corps subtils, correspond au milieu du dédale, but de l'ascension. Les sept spirales représentent le parcours ou les sept voiles à percer avant d'accéder au sanctuaire du Cœur, symbolisé par le centre du labyrinthe (la tour au sommet de la colline). La recherche du Graal s'y rattache et son rapport avec le mystère du cœur s'exprime dans le vin qui remplit la coupe à la dernière

21

Pâque célébrée, puis dans le sang qui y tomba lors de la Crucifixion.

Tant d'histoires autour d'une simple coupe ! Car elle ne reçut le sang de Jésus que grâce à son vide, d'où le sens du mutisme de Parsifal, de la vertu de la « pauvreté », du « lieu » où naquit Arthur (porté par les vagues de la mer à la grotte de Merlin), et enfin, sans plus d'ambiguïté, du dépouillement mental. Le chemin est tracé : on doit parcourir le labyrinthe des hémisphères cérébraux (une coupe anatomique du cerveau ressemble curieusement à celle de la colline de Glastonbury) et pénétrer dans le Cœur. L'éternelle jeunesse, obtenue par ceux qui regardent le Graal, devient l'intemporalité connue de celui qui contemple la Présence ineffable au centre de lui-même. La vue de la coupe épargne la mort au vieux roi Amfortas, encombré qu'il est de connaissances étendues et d'expériences terrestres.

L'itinéraire dans un labyrinthe, semblable à une empreinte digitale, avec un centre où se repose le pèlerin, hante de nombreux mythes et contes et sert d'emblème à d'anciennes monnaies crétoises, à de vieux vases étrusques du VIIe siècle avant Jésus-Christ. On le trouve également taillé dans les roches de Tintagel. Le vide difficile d'accès parsème les contes sous forme de bagues magiques, de puits desséchés, de châteaux abandonnés, de lieux d'où l'on ne revient jamais vivant. Est-ce par pur hasard si la grotte de Merlin est située juste au-dessous du château d'Arthur ? Que des sites païens forment les fondations des cathédrales chrétiennes ? Que le château s'écroule alors que la grotte demeure toujours ? On ne peut pas détruire un vide. Il est la seule vraie église.

Certains réduisent les légendes d'Arthur au plan strictement historique ; c'est affaire de goût. Il n'empêche que ce roi mystique défendit l'ouest de l'Angleterre contre les envahisseurs matérialistes saxons, lutte, s'il en fut, de la lumière contre les ténèbres célébrée par maintes batailles légendaires.

SYMBOLES ET THÈMES
DANS LES CONTES DE FÉES

Arbre

L'arbre, toujours utilisé par le héros comme poste de sentinelle d'où il peut embrasser d'un regard l'ensemble du pays, symbolise la vigilance panoramique grâce à laquelle il échappe aux bêtes féroces de la forêt, transcendant ses dispositions bestiales. Il y monte toujours quand la nuit solitaire est tombée : il demeure éveillé dans la dimension où les autres gens dorment. Il est donc *seul* dans la claire vigilance que même la nuit ne saurait éteindre. Est-ce alors étonnant qu'ayant veillé longuement et silencieusement à la cime de l'arbre, il aperçoive dans la forêt une petite lumière, fruit de sa méditation, qui déclenchera le dénouement de l'histoire, même si elle l'amène à une maison de sorcière, d'ogre ou de géant ? Ce serait même heureux, car cela montrerait que sa grande lucidité a su faire éclore les potentialités cachées de son inconscient.

24

Arc-en-ciel

Pour les Japonais d'autrefois, l'arc-en-ciel était le « pont flottant du ciel », et l' « escalier de sept couleurs qu'emprunte le Bouddha pour descendre sur terre ». La présence de l'arc-en-ciel dans les contes indique un processus reliant le ciel et la terre. Les sept couleurs renvoient aux sept sphères planétaires où l'âme séjournerait après la mort. Elles se réfèrent aussi à la gamme des émotions et sentiments, des plus intempestifs aux plus délicats (le rouge : colère et passion ; l'orange : sensualité et égoïsme ; le vert : jalousie et espoir ; le violet : sagesse et paix ; le jaune : orgueil et agressivité ; le bleu : mélancolie et douce intériorité). L'arc-en-ciel, vu comme pont entre les sphères célestes et terrestres, représente le phénomène de l'incarnation et de l'excarnation.

Bague

La bague, symbole de la fidélité à l'Éternel, traduit aussi l'amour spirituel et la vision dépouillée de l'adepte sur le chemin vers la connaissance de soi.

Bottes

Les bottes magiques, qui permettent d'aller où l'on veut en un clin d'œil, désignent trois aspects importants de la vie intérieure. Elles signifient que :
1. La personne qui porte les bottes ne se déplace

25

pas physiquement mais dans des plans subtils, grâce à certaines techniques de concentration, de voyance, de télépathie, etc.

2. Le temps en soi n'aide pas à la méditation, action consistant en une saisie directe, une perception sans références, une prise de conscience immédiate des choses. Pour fermer ses yeux et entrer en son cœur, il n'y a pas de chemin à prendre ; il suffit de cesser de courir ailleurs ; tout mouvement ne peut que nous éloigner de nous-mêmes.

3. Tout se trouve au-dedans de soi, dans la « graine de conscience » où naît la pensée « je », qui crée et peuple le monde entier comme une araignée tisse sa toile à partir de son propre corps. Et la nuit, quand nous rêvons, nous escaladons des montagnes de cristal et des gratte-ciel, et nous souffrons des blessures reçues au cours de nos combats avec des animaux sauvages. Tout cela dans notre poitrine, à l'aide des bottes magiques ! En assemblant une vingtaine de bottes en rond, pieds à la périphérie du cercle et tiges au centre, on crée la forme d'une roue, moyen de locomotion, mais aussi celle d'un *chakra,* centre énergétique du cœur.

Celui qui utilise les bottes magiques (le Petit Poucet et bien d'autres) connaît le secret des voyages astraux ou, à un niveau supérieur, expérimente une perception extra-temporelle et sait que la connaissance de soi apporte celle de toutes choses.

Le berger ressemble au bonhomme à la cime de l'arbre : il veille sur ses moutons comme la lucidité veille sur les sentiments et autres mouvements psychiques. Il ne laisse pas un seul mouton se perdre, comme la vigilance évite les égarements de la pensée. Si un mouton tombe dans un ravin, le berger le secourt, même le dimanche, car la vie spirituelle qui n'a ni heures ni lieux fixes, ne fait pas relâche. Le berger habite son champ, tel le méditant qui demeure dans le champ de sa propre conscience, car c'est bien là que se trouvent les « moutons » et que l'on veille sur eux. Les chants de Noël parlent du berger qui surveille son troupeau pendant la nuit, jusqu'au moment où il voit une grande lumière sur le pré et entend des chœurs d'anges, résultat de sa capacité de pénétrer consciemment dans l'état du sommeil profond[1], où le Soi resplendit comme mille soleils et diffuse toute chose surnaturelle.

Carrosse

Quant au carrosse, les chevaux qui le tirent figurent les organes sensoriels, alors que les rênes renvoient à leurs divers fonctionnements, à leur physiologie interne. Le conducteur est l'image du moi qui se tient derrière les sens et les manipule, tandis que le héros, passager du carrosse (Cendrillon par exemple), assis derrière le conducteur, transcende l'ego, maîtrise les sens, incarne le témoin impersonnel observant tout ce qui se passe à l'avant.

1. Ce qui signifie « surveiller son troupeau dans la nuit ».

Cerf-volant

Le cerf-volant, né en Chine, nous est parvenu à travers l'Asie et les îles du Pacifique. Son origine est probablement religieuse puisque, considéré comme un esprit, on lui adressait des prières. Il reflète l'âme, alors que son fil la relie au corps. Quand le fil s'allonge, l'âme s'envole vers les mondes invisibles (voyages dans l'astral) ; quand il se raccourcit, elle revient dans le corps. En Polynésie, le cerf-volant est l'emblème du roi et signe de sa connaissance des plans subtils de l'être. Les indigènes attachaient des lames de bambou au cerf-volant afin qu'elles tintent dans le vent, puis, la nuit, ils le fixaient au-dessus du toit de la maison, croyant qu'il empêcherait les mauvais esprits d'y pénétrer. Il servait d'œil-sentinelle qui ne laissait passer par la cheminée que des esprits bénéfiques. Le cerf-volant, c'est aussi l'homme-oiseau, le faucon d'Égypte, l'âme voyageuse après la mort.

Dans les contes, un enfant qui joue au cerf-volant quitte le monde matériel pour planer dans un autre univers (fantasmes, rêveries, sphères astrales et spirituelles). Dès lors, il lui devient possible de voir ce qui se passe au loin (même si ses parents ne le croient pas !).

Chasseur

Le chasseur, qui cherche dans la forêt puis vise et tue le gibier, incarne le chercheur spirituel qui essaie de comprendre les complexités de sa nature, de détruire ses fausses identifications, l'illusion de son ego.

Cheminée

La cheminée, voie de communication avec les mondes surnaturels, empruntée par les esprits, les fées, les sorcières et le père Noël, correspond, ésotériquement, à la colonne vertébrale et, plus exactement, au conduit subtil (*shushumna nadi* en sanskrit) à l'intérieur de la moelle épinière où circule le souffle psychique ou l'énergie. Le feu du foyer n'est rien d'autre que l'énergie fondamentale située dans la région sacrée du bassin *(kundalini)*, lieu où les transformations alchimiques se produisent (le chaudron, la nourriture, la combustion de gaz, etc.). L'air monte dans la cheminée comme l'énergie dans la moelle épinière, et le bruit qu'il fait ressemble à celui du souffle pendant les exercices respiratoires *(pranayama)*. Cependant, la fumée ne peut monter qu'après la combustion du charbon ; de même, l'énergie ne se dirige vers le sommet du crâne *(sahasrara chakra)* pour atteindre l'union qu'après la destruction de l'ego. Le haut de la cheminée symbolise l'ouverture du sommet de la tête *(bindu* ou la fontanelle) par où s'échappe l'âme pendant l'extase mystique et au moment de la mort.

Clairière

La clairière, au milieu d'une forêt, figure l'espace intérieur de la conscience, auquel on accède en passant à travers les diverses couches de la personnalité (mentales, émotionnelles, corporelles), représentées par la forêt inextricable. La petite maison, au centre de la clairière, symbolise le lieu secret des transformations, l'espace intangible du cœur, mais aussi le théâtre des pouvoirs et des tentations. Le personnage qui habite la maison, selon les cas, est une image du Soi, ou du maître, ou de la puissance ensorcelante de la magie. Si une sorcière s'y trouve, c'est une indication que le cœur n'est pas encore entièrement pur et risque d'être la proie des maléfices et des désirs infâmes.

Collier

Le collier, rangée de perles ou d'autres pierres reliées entre elles par un fil, représente la faculté qui permet d'unir des choses apparemment disparates, de trouver la base où les particularités perdent leur séparativité. Par exemple, en géométrie, le concept du triangle peut unir tous les arbres de la famille des sapins, tout comme, en psychologie, la jalousie est la même partout. Dans la pratique spirituelle, cela se traduit par la perception qui donne la possibilité d'unir l'objet et le sujet, ou encore d'intégrer le corps au souffle et le souffle à la conscience. C'est aussi le lien entre

30

l'homme (le fil) et la femme (la perle). Les vertus magiques du collier dans les contes (se rendre invisible, se déplacer à volonté et n'importe où instantanément, etc.) signifient que son propriétaire a découvert le moyen de pénétrer derrière les apparences et d'épouser l'essence des choses : le fil, invisible, est caché par les perles et pourtant, sans lui, elles tomberaient et s'éparpilleraient. Pareillement, privés du Soi, les individus ne sauraient exister. Lorsqu'un homme offre à une femme un collier ou une bague, il souhaite s'unir à elle par le corps et (au moins dans les contes) par leur essence commune.

Couronne

La couronne, qui signifie dignité, sagesse et puissance, indique que le centre spirituel du crâne *(sahasrara chakra)* est ouvert et actif. Le roi ne peut régner équitablement sur le peuple s'il ne possède pas de tels attributs. Les pierres précieuses de la couronne représentent les organes des sens qui, chez un être couronné, devraient être domptés et sublimés.

Épée

L'épée symbolise l'action supérieure de l'intelligence, la faculté de discernement et d'observation qui, de par sa finesse et sa clarté, sait pénétrer dans l'intimité des phénomènes pour en découvrir l'essentiel. Le pouvoir qu'a l'épée de disséquer repré-

31

sente l'aptitude que doit développer le chercheur spirituel pour distinguer en lui-même ce qui vient du Soi de ce qui vient du mental. La forme de l'épée, en croix, souligne que cette intelligence supérieure ne réside pas dans l'intellect, mais dans le « cœur » spirituel (les parois du cœur dessinent une croix), et que le « je » a été soumis à la présence divine (symbole de la crucifixion).

Escalier

L'escalier en colimaçon a le même sens que la cheminée ; en outre, il trace le mouvement spiralé effectué par l'âme quand elle quitte le corps pour dormir, pour voyager dans l'astral, et au moment de la mort. Elle y revient en parcourant un circuit semblable. Lorsqu'un personnage de conte monte un escalier en colimaçon, il entre *consciemment* dans la dimension du sommeil et perçoit tout ce qui demeure inconscient au dormeur. En descendant l'escalier, il réintègre la vie quotidienne.

Famine

La famine signifie que les ressources spirituelles du royaume et du roi sont taries et qu'un renouvellement (le prince vaillant) est nécessaire.

Flèche

La flèche magique, qui atteint infailliblement son but, se réfère à la faculté d'observation immé-

diate, sans qu'aucun espace ne se produise entre
l'acte de voir et l'objet perçu.

Fleurs

Les fleurs, porteuses de semences, renaissent
perpétuellement. Images de l'éternel retour, de la
métempsycose, leur faculté de renouvellement
dépend d'un processus de mort lui aussi continuel.
Le dépérissement des uns fait naître les autres.
Une pensée se dissout pour qu'apparaisse la suivante. L'enseignement des fleurs est inscrit dans
l'offrande de leur beauté et de leur parfum.

La rose et le lys sont les fleurs préférées des
contes de fées, leurs couleurs contrastées, comme
trois gouttes de sang tombées dans la neige,
permettant d'exprimer tous les sentiments, de
l'ardeur passionnelle à la compassion sereine et
pure. De la rose de vie au lys de la mort, toutes les
transformations sont possibles : « Surtout ne
cueille pas les lys du jardin, sinon tes sept frères
seront changés en corbeaux » et : « Si jamais elle
se pique le doigt avec l'épine d'une rose, elle
tombera comme morte. » Bien évidemment, on
cueillera les lys et on se piquera le doigt avec une
épine de rose, sinon le conte n'existerait pas.

La rose avec ses cinq sépales, comme l'homme et
ses cinq extrémités, est microcosme des étoiles,
métaphore des cinq éléments composant l'univers.
Ce chiffre fatidique, puisqu'il ajoute la tête, la
raison, donc la possibilité du mal, active néanmoins
les mutations qui métamorphosent l'état matériel

du carré (chiffre 4) en psychologie humaine et en connaissance spirituelle (chiffre 5 = carré surmonté d'un triangle). Voilà le sens de l'évolution terrestre qui se reflète dans la construction de nos maisons : quatre murs pour la terre et un toit pour le ciel (qui bâtit une maison au toit trop petit par rapport à la façade vit certainement limité à la bouche, au ventre et au matériel !).

A la rose rouge au sang blanc s'oppose l'homme blanc au sang rouge. Or, la mère de Blanche-Neige se piqua le doigt avec une épine, vit trois gouttes de sang tomber dans la neige et fit le vœu de concevoir une fille. Elle donna naissance à une enfant au sang pur comme la sève blanche d'une rose. Blanche-Neige a transmué ses passions en amour désintéressé ; elle a dominé les lois cosmiques matérialisées ; elle a trouvé l'ouverture du carré rouge des mandalas, le rouge d'une révolution psychologique qui transforme la passion en com-passion. Les femmes, par leurs lèvres rouges, incarnent les lois cosmiques manifestées comme amour, d'où l'origine du mot anglais *cosmetics* : se maquiller, c'est se donner un visage cosmique, prendre l'aspect d'un dieu.

Les fleurs que dessinent les enfants ne sont-elles pas les mêmes dans tous les peuples et toutes les races : un cercle, image du Soi solaire et des pétales comme autant de migrations du moi au Soi et inversement ? On peut également les assimiler au centre énergétique avec son réseau de circuits. Ces formes fascinent les enfants car elles s'apparentent à leurs propres formes et à leur propre dynamique . le cercle, l'éloignement du cercle, puis le retour au cercle ; partir, revenir, partir. Ainsi, dans les jeux de communauté, les enfants forment un rond que doit quitter celui qui a les yeux bandés. De même, avec les manèges, on tourne au-dessus de la terre, déjouant la loi de la pesanteur. Et l'on rit aux éclats, car c'est bon de se sentir libre. Oui, les enfants adorent dessiner des petits cercles entourés de ronds, coquelicots et marguerites, car cela réveille en eux des sensations enfouies, éprouvées au contact du mamelon lorsqu'ils étaient bébés, et le souvenir de leurs nombreuses vies antérieures : joyeux retours au centre après la mort et curieux départs à la naissance.

Rien d'étonnant donc à ce que les contes de fées parlent de fleurs et de jardins, de demoiselles belles comme des roses qui se dévouent humblement sans rien demander en retour. Couvertes de suie dans la cuisine, elles savent surtout patienter, telles les graines sous terre, rester muettes, cesser de rire s'il le faut pendant sept ans, attendre enfin d'être reconnues à leur juste valeur par le prince qui les aimera.

Fontaine

La fontaine, située dans la cour d'un château, d'où coule l'eau de Jouvence, fait allusion au centre secret de l'homme, au cœur spirituel dans lequel tombent les gouttes de nectar (d'amour). On comprend alors facilement le sens d'un puits desséché appartenant à une sorcière ou à un roi et d'un

35

puits vide dans lequel culbute le héros pour découvrir le petit bonhomme salvateur, le génie, les trésors, etc. Si la fontaine est pleine de boue et de cailloux, le héros devra la nettoyer patiemment à s'en meurtrir les doigts jusqu'à faire rejaillir l'eau, comme le méditant doit débroussailler son cœur afin d'y sentir la présence divine.

Maison

La maison symbolise la manière dont l'enfant se situe par rapport à son corps. S'il séjourne dans le grenier, c'est qu'il communique avec les mondes surnaturels (il y rencontre une vieille en train de filer, un portrait magique, etc.). S'il descend à la cave, alors il explore l'inconscient. Lorsque la porte et les fenêtres sont fermées, l'enfant éprouve des difficultés à passer de son monde intérieur à la vie environnante. Enfermé dans la maison, il est introverti et a du mal à s'approprier le domaine quotidien. Quand, au contraire, il ne parvient pas à entrer, c'est qu'il tend à s'identifier aux choses au point de perdre contact avec lui-même. Remparts et barrières d'épines ont le même sens. En se frayant un chemin à travers l'obstacle pour réveiller la demoiselle en transe, le prince libère l'âme de son isolement, de ses préoccupations propres et l'aide à mieux fonctionner dans le corps et dans le quotidien. Les châtelains s'animent alors et toutes les activités reprennent. Cette difficulté de l'âme à s'engager dans le corps et le monde est personnifiée par la jeune fille enfermée dans une tour.

Manteau

Le manteau magique rend invisible celui qui le porte, ce qui signifie que :

1. Après de longues années de pratiques spirituelles, le méditant acquiert un état extrêmement subtil et transparent, et son corps, affiné sous l'influence de forces suprasensibles, lui apparaît comme une mise en forme de la conscience.

2. Le héros met le manteau magique avant d'entrer dans un lieu dangereux et difficile d'accès, mais où, s'il réussit, il délivrera la princesse, s'unira à elle et trouvera le trésor. Il s'agit bien souvent d'une crypte souterraine, d'une montagne de cristal ou d'un château défendu. Or cet endroit inaccessible n'est autre que soi-même, la princesse étant l'Ame et les trésors, les bienfaits de l'union. Que le héros pénètre, invisible, dans le lieu, suggère qu'il ne se déplace pas physiquement, mais seulement en esprit.

Miroir

Le miroir est caractérisé par la possibilité de réfléchir tout ce qui se présente devant lui sans altérer, ajouter ou éliminer quoi que ce soit. Il n'attire pas, pour le fixer, ce qui est agréable, de même qu'il ne repousse pas ce qui est laid. Voilà pourquoi il s'assimile à la fonction neutre du témoin, à la contemplation qui observe sans intervenir. Toutefois, le témoin diffère du miroir en ce qu'il peut enregistrer dans la mémoire les choses vues, ce qui, par extension, a donné lieu aux miroirs magiques qui gardent des souvenirs et peuvent en parler. L'attitude de spectateur permet de se regarder intérieurement comme le miroir renvoie notre image physique. Tous deux facilitent la connaissance de soi.

Dans les contes, le miroir indique que son possesseur a acquis l'impartialité et le détachement par rapport à sa personne. Celui qui utilise négativement un miroir s'est détourné du droit chemin pour dévier dans la magie, pour accroître sa vanité et son pouvoir personnel. Le miroir, alors, réfléchit et fonctionne à l'envers, de façon diabolique.

Montagne

La montagne de cristal représente les sphères intangibles, suprasensibles et d'accès malaisé, mais aussi l'endroit où tout devient possible. Lorsque le chasseur tente de la gravir, puis glisse et tombe, alors sa quête intérieure soulève des problèmes psychologiques, lesquels, non résolus, risquent d'arrêter son ascension. Quand un géant, symbole de l'inconscient, mène le chasseur par monts et par vaux à travers la grande forêt jusqu'au pied de la montagne de cristal, puis refuse de le conduire jusqu'au sommet, il est clair que les puissances de l'inconscient peuvent aider l'adepte s'il parvient à les apprivoiser ; cependant, sa participation est également indispensable puisqu'elle sert de catalyseur à l'ensemble du processus de transformation et de transcendance.

Œuf

L'œuf d'or revient souvent dans les contes et caractérise, comme les œufs de Pâques, l'imputrescibilité, l'éternel. Sa forme cosmique, utérine, le lie à la création, à la naissance. Le héros qui reçoit un œuf d'or est en train de renaître à une nouvelle vie, intemporelle. Il va s'affranchir du moi divisé et devenir un être entier. On comprend alors la fascination qu'exercent sur les enfants de petits poèmes comme *Humpty Dumpty,* l'homme-œuf :

> *Humpty Dumpty sat on a wall.*
> *Humpty Dumpty had a great fall.*
> *All the king's horses and all the king's men*
> *Couldn't put Humpty together again* [1].

Cette petite comptine contient le drame entier de l'existence. Avant de naître, l'homme est unifié puis, en descendant sur terre, il est morcelé en mille fragments que même la richesse ne saurait réassembler.

Après de longs jours de couvaison (de contemplation silencieuse), le poussin doré (l'étincelle de feu) sort de l'œuf (l'être unifié).

---

1. Humpty Dumpty était assis sur un mur.
   Humpty Dumpty fit une grande chute.
   Aucun des chevaux et des hommes du roi
   Ne put recoller ses morceaux.

Or

L'or et l'argent, dans les contes de fées, ne se réfèrent pas à la richesse matérielle, mais aux attributs de l'être (« il a un cœur d'or »), à la dignité (« il porte une couronne d'or et d'argent »), tout comme la médaille d'or dénote une forme de génie. Le gnome demande à ses frères : « Qu'allons-nous lui donner pour la récompenser de sa bonté ? — Chaque fois qu'elle prononcera une parole, des pièces d'or tomberont de sa bouche », dit l'autre. L'or traduit donc les qualités d'âme.

Lorsque le héros du conte réussit à vaincre le dragon (à maîtriser ses propres tendances animales grâce à la connaissance profonde de son moi et de son inconscient), puis à s'unir à la princesse (à l'Ame), il devient inévitablement possesseur du trésor, de l'or, fruit de l'union et de la réalisation spirituelles. Le prince, devenu roi, est alors capable de gérer le royaume équitablement et d'y apporter paix, justice et fraternité. Tout conte de fées se termine ainsi et démontre le rapport entre l'état psychologique du héros et la société qu'il organise. Les rouages de la psychosomatique dans l'individu se prolongent dans les structures sociales. Parce que le roi découvre son unité intérieure (l'or), il crée une société de partage et de bonne collaboration. Si le roi est mourant (spirituellement désintégré), le royaume se détériore et la corruption s'y répand. Une psyché fragmentée se projette dans l'environnement sous forme de conflits et de divisions. Avant que la monnaie n'existe comme moyen de se procurer des produits de consommation, ceux-ci furent propriété commune, partagés selon les besoins réels de chaque famille, coutume qui subsiste notamment chez les tribus de l'Amazonie. Ce sens de la fraternité et de la communauté ne remonte-t-il pas à l'époque où les chefs de tribu (le roi) étaient encore reliés aux forces cosmiques ? Le travail était motivé par l'intérêt réciproque et général : en fabriquant sa spécialité pour la communauté, l'artisan recevait des autres travailleurs tout ce dont il avait besoin.

Les contes de fées ont fleuri dans une telle époque et gardent le souvenir d'un temps encore plus reculé, resté dans l'imagination populaire sous l'expression d' « âge d'or ». Le héros et l'héroïne des contes méritent de « vivre dans le bonheur jusqu'à la fin de leurs jours » parce qu'ils partagent leur maigre bien avec autrui (le renard, les gnomes, etc.), ce qui s'oppose foncièrement à l'esprit de profit inauguré avec la monnaie.

Papillon

Le papillon personnifie la totalité du parcours de l'évolution humaine, de l'amibe unicellulaire à l'homme totalement épanoui sur les plans physique, psychologique et spirituel. De l'œuf naissent la chenille, le mouvement, la vie, la couleur, la matière, le corps. La chrysalide évoque la maturité psychologique, période de recueillement, d'introspection qui amène l'homme à se dépouiller et à se

libérer de l'emprise des seules jouissances corporelles et matérielles. L'hiver couve un nouveau
printemps. Au papillon, fruit de ces transmuta-
tions, correspond l'âme qui, tout en habitant le
corps, le transcende néanmoins. Par ses ailes qui se
déploient bien au-delà de son thorax, l'insecte
symbolise l'intelligence extra-cérébrale, dimension
accessible aux méditations sur le vieillissement et
sur la mort. Mais aussi à l'illumination. Le papillon
dit que c'est grâce au corps qu'existe la possibilité
de faire pousser des ailes et de s'envoler vers la
lumière. Dans les contes, une princesse ou un
prince transformé en papillon est une personne
parvenue au summum de l'évolution, ou encore un
être spirituel désincarné.

Pêcheur

Le pêcheur est le méditant, sa ligne, l'acte de
contempler, l'eau, le psychisme conscient et
inconscient, et le poisson, le contenu psychique
que la méditation doit permettre de faire surgir à la
conscience. Quand le pêcheur attrape un poisson
qui parle et révèle des secrets, cela signifie qu'il
dévoile les ressources cachées de son être. L'eau
calme et fortifie l'esprit, la pêche développe la
patience : autant de qualités nécessaires au candidat à l'initiation. S'asseoir des heures à regarder
l'eau, ô flegme britannique ! est une activité propice à la méditation. L'esprit est fasciné et apaisé
par l'eau, ses reflets scintillants, son énergie enve-
loppante et son mystère charmeur. Le héron qui,

dans les contes, représente le méditant, incarne les mêmes caractéristiques. Il est bon, dans la narration de l'histoire du pauvre pêcheur, d'accentuer tous les détails de ses actions au bord de l'eau afin que les images soient complètes et que l'inconscient de l'enfant puisse les interpréter correctement.

LE RÔLE DES ÉLÉMENTAUX :
FÉES, GNOMES,
SALAMANDRES, ONDINS

L'un des grands apports des contes de fées est de nous rendre toutes choses vivantes. Une feuille que le vent pousse dans la maison, les chaises autour de la table, les rivières et les objets quotidiens, tous deviennent proches et prennent vie par la présence même que nous leur accordons. Comme les personnages des contes, nous arrivons à sentir l'eau, la terre, l'air et le feu habités par de curieuses entités, et à entretenir une relation amicale avec la nature et les objets, si bien que, spontanément, tels de petits enfants, nous en venons à converser avec eux et presque à attendre qu'ils nous parlent. Des gens racontent qu'ils avaient un pommier qui ne donnait aucun fruit. Ils marchèrent autour en lui parlant et voici que l'année suivante, l'arbre fut couvert de pommes. En dialoguant avec la nature, certains réussissent à cultiver de beaux légumes dans des sols arides et rocheux. D'autres encore s'adressent aux vers dans les poutres et les persuadent de cesser de s'attaquer au bois ou de faire du bruit. Ces secrets, connus des enfants, peuplent les contes de fées et soulèvent maintes questions passionnantes : quelle différence existe-t-il entre le moi et le monde, puisque tous deux semblent être mus par une même conscience ? Qui a organisé tout cela ? Le monde adulte est-il forcément hostile à une relation intime avec les choses, ou peut-on grandir sans perdre le sens du merveilleux ? Ce merveilleux est-il plus ou moins réel que l'inflation, la guerre et la télévision ? Quelles sont donc ces forces qui animent les mondes minéral, végétal et animal ? Puis-je les connaître ? Pourquoi, dans les contes de fées, est-ce toujours l'ami des animaux, des gnomes et des nains qui obtient la princesse et le trésor, alors que ceux qui les dédaignent orgueil-leusement ne connaissent que le malheur ? Suffit-il d'être bon envers les esprits de la nature pour s'assurer leur aide et leur coopération ? Les méchants peuvent-ils retirer de leurs machinations les mêmes bénéfices — et sont-ils aussi durables ? — que ceux résultant de la bienveillance ?

Le rôle des esprits de la nature dans les contes de fées est de signaler aux humains que leur manière d'être, de penser et d'agir « percute » directement les événements terrestres et les structures sociales. Grâce à un effet de boomerang, les élémentaux renvoient à l'homme, sous l'aspect d'obstacles, de récompenses ou d'autres signes, le reflet de sa propre résonance intérieure. Ils essaient de montrer l'importance de notre responsabilité et de notre participation.

Cette fonction des élémentaux coïncide avec l'enseignement ésotérique traditionnel, selon lequel le monde n'est pas différent de nous, mais prolonge nos propensions psychologiques. L'état mental détermine nos actes, lesquels conditionnent la qualité de nos œuvres et de nos structures. Un esprit angoissé donne des gestes désordonnés, un acte d'écrire chaotique et incontrôlé, et le résultat final, l'œuvre, l'écriture, sera disharmonieux, agressif. Comme les bouleversements sociaux sous l'effet de notre ambition et de notre égoïsme.

Dans les contes de fées, ce rapport entre l'homme et le monde est mis en évidence lorsque, par exemple, le feu vient dévorer la méchante marâtre, que la terre s'ouvre pour engloutir le matérialiste, etc. Puisque l'homme abuse de la terre, de l'eau, de l'air et du feu, les élémentaux, qui régissent ces domaines, réagissent spontanément aux désordres en vue de rétablir l'harmonie, mais lorsque l'abus dépasse les limites, les éléments se déchaînent et deviennent destructeurs. Nous polluons les éléments ; les éléments nous polluent : effet de boomerang (*karma*). L'observateur détermine ce qu'il observe car, au fond, tous deux ne font qu'un. Les événements, les difficultés et les catastrophes qui surviennent dans les contes de fées varient selon la faute commise, comme dans l'exemple précité, la forme d'écriture se modifie selon les caractéristiques mentales du sujet.

Lorsque l'homme pèche par son astralité — désirs pervers, pensées confuses et négatives, hyper-excitabilité, émotions dévastatrices, etc. — il agit défavorablement sur les esprits de l'air : elfes et sylphes. Ceux-ci se vengent du pécheur en érigeant un mur de vent pour l'empêcher d'avancer, ou en créant un tourbillon qui l'enlèvera, ou en provoquant un ouragan qui détruira sa maison et ses bêtes. Voyez comment le vent siffle de plus en plus fort chaque fois que le pêcheur, poussé par sa femme avide de richesses mondaines, retourne à la rivière demander au poisson doré la réalisation d'un souhait.

Ce genre d'événement dans les contes indique que les catastrophes dues au vent prennent racine dans le psychisme négatif des humains. Les elfes et les sylphes sont bénéfiques ou maléfiques selon notre attitude ou nos agissements. Ils s'efforcent de nous montrer qu'il est futile de se plaindre du vent si nous ne révisons pas notre « vent » intérieur. Nous discourons inlassablement sur les agitations du drapeau sans voir celles qui ébranlent notre esprit.

Les élémentaux de l'air tentent de nous inculquer la nécessité de maîtriser nos pensées, notre jalousie, etc., sous peine de tomber, victimes d'une sorcière ou d'un dragon. Ils essaient de soulever en nous la question suivante : « L'homme aurait-il pu polluer l'air s'il n'avait pas, d'abord, vicié son propre espace mental ? »

Celui qui, dans les contes, abuse de son corps physique et ne vit que pour les choses matérielles, l'avare, l'homme superficiel, brutal ou cruel, établit un rapport négatif avec les esprits de la terre : gnomes, fées et nains. Ces élémentaux vont alors lui jouer de mauvais tours, en utilisant l'élément terre. Ils enfermeront le sujet dans une roche où il

venait voler un trésor, ou ils le feront tomber dans
un trou qui se remplira ensuite de cailloux, ou
encore ils provoqueront un éboulement de terrain
pour l'ensevelir et détruire ses biens. D'après ces
récits, les catastrophes, tels les tremblements de
terre et les glissements de continents, proviennent
de notre attitude exclusivement matérialiste et
malsaine envers la vie.

La réaction des gnomes et des nains enseigne
que notre mauvais usage de la nature prolonge
celui que nous imposons à notre propre chair. A
quoi bon se plaindre de la dégradation des matières
premières si l'on avilit sa propre substance corporelle ?

Les fées et les gnomes suggèrent aux hommes la
modération salutaire de leur consommation de
biens matériels. Ainsi échapperaient-ils à l'ogre,
aux forces noires, aux cataclysmes, et devien-
draient-ils capables de se mettre en quête de la
princesse, du bonheur. Miser entièrement sur le
corps pour être heureux, c'est se vouer au malheur,
se dégrader soi-même autant que la terre.

Quand la faute commise consiste en une utilisation négative du fluide énergétique — paresse,
indifférence, défaitisme, transmission d'ondes
néfastes à autrui, etc. —, ce sont les élémentaux de
l'eau qui interviennent : sirènes qui font couler un
bateau, ondines qui emprisonnent quelqu'un au
fond d'un lac, nymphes qui séduisent et noient
l'homme imprudent Ces entités font obstacle au
voyageur, porteur de mauvaises vibrations magné-

tiques, inondent sa demeure ou cachent le trésor qu'il recherchait. On sait comment le lac s'ouvrit le jour de Noël pour inciter le méchant roi à descendre y chercher son or, puis comment il se referma au-dessus de lui pour le noyer.

Ces images des contes situent la cause des destructions par déluge et par tempête dans les courants énergétiques corrompus venant des humains (catastrophe de l'Atlantide, Déluge de l'Ancien Testament). Effet de boomerang : les cours d'eau souterrains acheminent des ondes positives ou négatives selon les endroits et montent dans les maisons où elles affectent l'homme, les animaux et les plantes.

Les sirènes et les ondines proposent aux humains de purifier leur énergie afin de ne pas être engloutis sous les eaux, avalés par un monstre marin, ou rendus fous par un amour impossible pour une nymphe irrésistible. Alors seulement pourront-ils descendre au palais du lac et se marier avec l'ondine sans courir le risque de périr.

Lorsque l'homme abuse de son ego en faisant le mal froidement et délibérément — par orgueil, volonté de puissance, mensonge, vengeance ou violence —, il irrite les entités du feu : salamandres et autres. Dans les contes, ces élémentaux dressent une barrière de flammes devant l'orgueilleux, brûlent le méchant, calcinent la langue du menteur, incendient les biens du vengeur et rendent fous ou malades les violents. Le vilain magicien est incinéré dans le fourneau qu'il réser-

49

vait à d'autres, et la maison maudite, lieu de magie et de perdition, disparaît dans l'incendie.

Ces événements signalent que les cataclysmes dus au feu naissent des fautes de l'ego, lui-même œuvre d'un éclair de Zeus. On peut dire que ce genre d'erreur caractérise l'époque moderne : le mal prémédité, le mensonge, la vanité, la soif de pouvoir, la violence. La terre est menacée de destruction par le feu des explosions atomiques et des accidents nucléaires.

Les esprits du feu dans les contes de fées nous exhortent à dépasser notre ego par la méditation, le dévouement et l'acte désintéressé, faute de quoi nous tomberons, comme le méchant sorcier, dans les griffes du démon qui nous cuira dans son chaudron. Jamais alors la princesse ne nous accordera son baiser et son amour.

Bien que les entités de la nature créent des ennuis et fassent obstacle aux dévoyés, elles leur suggèrent aussi le travail à effectuer sur eux pour se transformer et se préparer à la quête du Soi. Le facteur même avec lequel les élémentaux « punissent » le fautif lui offre le moyen de se corriger, à condition de faire preuve de volonté :

1. Les problèmes liés à l'élément air incitent l'homme à le maîtriser, par exemple en respirant consciemment et lentement en toute circonstance. Voilà un sens des passages où, dans les contes, le héros doit voler, arrêter le souffle du vent, retenir son haleine pour ne pas être entendu. Le contrôle de la respiration favorise la maîtrise des émotions

et des pensées. Ainsi, l'effet de boomerang est double, contre et pour l'homme.

2. Les difficultés dérivant de l'élément terre, comme l'inertie, le matérialisme, la dégradation corporelle, la maladie, peuvent être éliminées grâce à une utilisation sage du même élément dans le travail, le jardinage, l'art, l'alimentation, etc. Telle est l'interprétation possible des situations où, dans les contes, quelqu'un est obligé de travailler la terre longuement et humblement, ou de ne jamais manger à sa faim, ou encore de soulever et de déplacer une grosse pierre. Gravir une montagne, tailler une porte dans la roche ont un sens similaire. L'homme qui lutte pour surmonter la résistance de la matière, surtout quand il ne s'attache pas aux fruits de son travail, développe des forces morales qui spiritualisent son corps et les substances qu'il manipule, les rendant plus légers, plus clairs et plus aptes à exprimer l'Individualité profonde.

3. Les périls liés aux esprits du feu offrent à l'homme l'occasion de maîtriser cet élément en le prenant comme objet de méditation[1]. De même, dans l'alchimie, la chaleur, les couleurs, les odeurs, les formes et les bruits des flammes servaient de support à la contemplation. Le feu agit sur les perversions de l'ego, purifié par celui-ci même qui le menaçait. Dans les contes, le héros

1. Prendre le feu comme objet de méditation : ne pas s'opposer aux difficultés mais s'en servir comme moyen de purification, de connaissance de soi et d'évolution intérieure.

doit souvent affronter l'épreuve du feu, passer à travers un mur de flammes.

4. L'eau, les bains, les compresses éliminent le mauvais fluide énergétique et stimulent la vitalité positive. Pour apprivoiser cet élément, le héros doit traverser à la nage une rivière dangereuse, calmer une tempête, transformer l'eau en élixir, descendre dans un lac avec une ondine, etc.

L'aspect nocif des élémentaux est provisoire, car dès que l'homme se corrige, les fées, ondines et salamandres cherchent à collaborer avec lui pour construire des œuvres positives qui s'intègrent à la nature au lieu de la détruire. Une telle expérience est amorcée dans les centres communautaires anthroposophiques, écologiques-spiritualistes, (Findhorn, entre autres).

Par ailleurs, les élémentaux fournissent aux humains les signes précurseurs des dangers, les avertissent qu'ils s'engagent sur une mauvaise route ou vont commettre une erreur quelconque. Grâce à ces indices, des bateaux en péril sont sauvés par une sirène ; un jeune homme est prévenu par une fée des épreuves qui lui seront injustement imposées par le roi pour l'empêcher de prendre le trône et la princesse ; un oiseau indique à un âne le bon chemin que son maître s'entête à ne pas vouloir choisir.

Cependant, le langage des signes est ardu à déchiffrer, car on se demande : « Ce signe me propose-t-il d'abandonner mon projet (ou ma direction), ou est-il une épreuve pour tester ma détermination ? » La complication vient de ce que ces deux possibilités existent, et que les signes ne s'imposent pas mais suggèrent, nous laissant à notre jugement et notre intuition. A l'homme donc de méditer les signes afin de les décoder et de profiter de leurs indications. Heureusement, tout est utilisable, et même si l'on se trompe en s'investissant corps et âme dans un projet dérisoire, au moins fortifie-t-on sa volonté tout en se préparant au détachement lors de l'échec.

L'anima, très sensible aux signes, nous invite à changer de direction, alors que l'animus, plus intellectuel, s'entête facilement dans une impasse. Voilà pourquoi, dans les contes, ce sont toujours des entités féminines qui avertissent le voyageur des dangers qui l'attendent. En cas de doute, il vaudra mieux essayer diverses façons de réaliser son projet jusqu'à ce que toutes les portes soient fermées ; alors, on n'aura plus besoin de signes pour comprendre son erreur. Mais on risque, ce faisant, de gaspiller son énergie, son temps et ses ressources matérielles.

Entre celui qui aime les difficultés et, par hardiesse, ignore les signes, et le faible qui se décourage au premier obstacle, le juste milieu consiste à écouter des deux côtés simultanément afin de sentir où le vent veut nous emmener.

Les signes nous présentent une occasion d'exercer notre vigilance, d'être attentifs au feu qui refuse de s'allumer, à l'eau qui ne veut pas couler, au vent qui empêche de voyager, aux briques et au mortier qui repoussent les murs, aux chambres qui vous interdisent de dormir et aux sites qui résistent à vos projets. Autant éviter, si l'on peut, de dépenser quarante millions de francs et cinq ans de sa vie pour créer un centre spirituel dans une maison victime de courants telluriques néfastes et perturbateurs, ou de s'acharner à fonder une clinique si, un an après, l'État décide de faire passer une autoroute à travers le jardin.

En ce qui concerne la perception limitée aux formes sensorielles, les signes sont le seul aspect visible des élémentaux. Leur lecture varie selon les pays et les gens. Le *swara yogi* de l'Inde connaît les événements à venir (si un voyage sera négatif ou positif, si un couple va concevoir un fils ou une fille, etc.) en fonction des variations subies par le flot du souffle dans les narines, et entraînées par l'urine qui tombe. D'autres voient l'avenir dans les cendres ou le marc de thé.

Les formes psychiques des élémentaux se manifestent parfois à l'homme lorsque sa vision relève d'un état second (médiumnité, voyance, clairaudience), ou lors de certaines maladies qui accentuent un élément ou l'autre dans le corps : la pneumonie et les rhumes augmentent l'eau, les inflammations raniment le feu, certaines affections pulmonaires et digestives (l'asthme, la dyspepsie) modifient la distribution de l'air, l'élément terre est impliqué dans des maladies comme le cancer, le diabète, la gangrène, les tumeurs, les rhumatismes chroniques, les déformations du squelette. Chacune de ces perturbations peut donner accès au plan élémental correspondant. Néanmoins, les esprits de la nature deviennent plus perceptibles au cours des transformations des quatre éléments, particulièrement au moment où les vapeurs d'eau se mélangent avec l'air (apparitions dans la brume, au bord de la mer, près d'une rivière, etc.), où la terre se mêle à l'eau (marais, forêts, régions humides), l'air moite se combine avec les rayons solaires (à l'aurore, au crépuscule, dans les forêts, au bord de la mer).

CONTES DE FÉES
ET TYPES D'ENFANTS

Les contes de fées ont le don de mettre en scène des personnages correspondant à chaque type d'enfants, ce qui explique l'enthousiasme des jeunes lecteurs pour le genre d'histoire qui incarne leur propre cas, leurs tendances et leurs problèmes. Les contes aident les enfants à mieux se comprendre et à équilibrer leur personnalité grâce à plusieurs facteurs :

1. Le contexte du conte permet à l'enfant d'objectiver ses problèmes, d'en prendre conscience plus facilement, et ainsi de s'en dégager.

2. Les situations décrites le guident dans la recherche de sa voie, de la solution appropriée à ses ennuis personnels.

3. La sympathie que les personnages bienfaisants éveillent en lui le conduit à s'aimer lui-même et à s'apprivoiser, alors que l'antipathie que lui inspirent les sujets maléfiques le protège contre un contact prématuré avec les forces négatives de son être.

4. Les images des contes agissent sur son inconscient et y effectuent une action curative.

Les nains, les géants, les cyclopes, les Cendrillon et les Petit Chaperon rouge ne se trouvent pas seulement dans les contes de fées ; aujourd'hui encore, ils abondent dans nos maisons et nos écoles car, à un degré plus ou moins prononcé, chaque enfant possède une constitution physique ou physiologique identifiable à l'un ou l'autre de ces personnages. Passons en revue les divers genres d'enfants et leur archétype correspondant dans les contes de fées.

L'enfant maladroit et destructeur

Le plus souvent, la tête de ces enfants est relativement petite par rapport au corps dont les membres paraissent détachés du tronc et incontrôlables. Dans les contes, l'individu avec lequel ils s'accordent est le géant malhabile qui, avec ses grosses mains et ses longues jambes, détruit tout ce qui se trouve sur son passage. Entendre des histoires de géants est une véritable thérapie pour ces enfants car elles les amènent à objectiver et à être conscients de leur problème.

Le sens qui prédomine chez de tels enfants est la vue (les géants peuvent voir de loin au-dessus des arbres et des montagnes), mais leur capacité d'écouter est parfois amoindrie, d'où l'utilité de la présence de géants dans les contes. Ceux-ci les fascinent tellement qu'ils ne peuvent pas ne pas se calmer et écouter. Les géants ne sont pas très sensibles aux tribulations d'autrui, mais ils peuvent le devenir s'ils développent l'aptitude à écouter...

Ces enfants aiment le vacarme, l'agitation, le travail matériel tapageur, salissant, et, comme les géants, mettent leurs pieds dans les plats quand ce n'est pas dans la boue. Les scènes de géants agissent sur eux de façon homéopathique (soignant le semblable avec le semblable) en leur fournissant le frein qui manque à leur volonté, atténuant ainsi le côté destructeur de leurs actions.

Le danger pour ces enfants est de devenir trop matérialistes, car la réflexion, la fantaisie et la sensibilité leur font défaut. L'éducation devrait viser à les amener de la matière vers l'esprit en utilisant :

1. le travail ordonné,
2. les jeux effectués avec les mains,
3. le tambour,
4. la flûte,
5. le théâtre,
6. la lecture imaginative.

Commencer sur une base matérielle solide et en saturer l'enfant jusqu'à complète satisfaction avant d'entreprendre les phases suivantes. Un géant n'apprécierait point qu'on le soustraie à ses habitudes pour le planter derechef dans une bibliothèque parisienne. Il détruirait tout, et il aurait bien raison.

Toute l'énergie de ces enfants s'exprime exagérément dans la vie pratique et dans les sens, laissant peu de place aux échanges verbaux, à l'observation, etc., et les combats de géants, s'entre-tuant par maladresse, leur apprennent à voir les effets négatifs de leur comportement et à s'en éloigner.

L'enfant rêveur et paresseux

L'archétype de cet enfant est le Simplet lent, moins vif que ses frères aînés et ayant peu de sens pratique. Le Simplet exerce sur le petit rêveur une influence curative, car sa lenteur — que le conteur devra exagérer en parlant d'une voix endormie — finit par l'impatienter et le stimuler, alors que son manque de sens pratique éveille en lui le désir de le cultiver. Puisque le Simplet subit l'épreuve avec succès et gagne la princesse, l'enfant est encouragé à ne pas se laisser abattre par l'intelligence de ses frères aînés, mais à s'engager dans une activité qui aboutira à la réussite.

A un autre niveau, la princesse représente l'union avec le divin, et le Simplet montre que pour réaliser cette entreprise, l'intellect et les expériences ne sont pas indispensables. Ainsi sera valorisée la nature innocente de l'enfant rêveur qui comprendra comment se servir de son innocence pour conquérir efficacement la sagesse.

Il ne faut pas croire qu'un tel enfant ait besoin d'entendre des contes où sont dépeints des individus vifs et dynamiques. Au contraire, de telles histoires ne pourraient que le décourager davantage et l'enfermer dans son état. Il vaut mieux satisfaire totalement sa tendance à rêver grâce aux histoires du Simplet, tout en ajoutant un élément qui l'aidera à s'engager quelque part. Par exemple, le conteur pourrait dire que le Simplet décide d'apprendre à jouer de la flûte. Ainsi, l'enfant, sans être frustré, développera des qualités dynamiques et réalistes. Insuffisament incarné, il faut l'aider à prendre possession de son corps *graduellement* et en commençant là où l'enfant se situe, au niveau du rêve, de l'imaginaire. La même démarche peut être adaptée à chaque type d'enfants.

L'enfant introverti

Le regard tourné au-dedans de lui-même, cet enfant est peu entreprenant en ce qui concerne la conversation et l'engagement social en général, ce qui explique sa nature distante et frileuse. Ses sens endormis, il donne l'impression d'être coupé du monde par une barrière invisible. Il vit dans sa tour d'ivoire et semble attendre quelque chose ou quelqu'un qui, grâce à son attention affectueuse, saurait l'attirer vers les relations humaines, car il lui manque le contact, ou plutôt le désir du contact. Il n'aime pas la société et se contente de jouer tout seul avec sa balle ou, si c'est une fille, de tricoter dans un coin de pièce chaude et isolée. Le garçon tournerait facilement au misanthrope alors que la fille resterait volontiers vierge jusqu'à la fin de ses jours. Poussé à l'extrême, cet état aboutirait à la psychose ou à la schizophrénie.

Son archétype dans les contes de fées est la princesse endormie à la suite d'une piqûre d'épine au doigt (expérience relationnelle douloureuse provoquant la rupture avec l'environnement), la princesse enfermée dans une maison verrouillée au fond de la montagne, celle qui joue toute seule dans les jardins du palais ou encore celle séquestrée à l'intérieur d'une tour, d'une haie d'épines, etc. Dans tous ces cas, seul le baiser et l'amour d'un prince (le contact) ont le pouvoir de libérer la princesse de sa solitude et de l'éveiller au monde sensoriel (Blanche-Neige endormie dans son cercueil de verre et réveillée par le baiser du prince est une image poignante du problème du contact).

Inconsciemment ou non, l'enfant introverti tire une leçon salutaire de ces contes de fées et, comme la princesse qui jouait seule au jardin, il y puise la force de surmonter son dégoût des relations humaines (la grenouille pour la princesse). Alors seulement la grenouille se transforme en un beau prince et l'enfant se réjouit enfin de la compagnie d'autrui.

Comme la princesse qui répugnait à toucher la grenouille, à tacher ses mains, de même l'enfant en question n'aime pas salir les siennes pour ne pas trop s'impliquer dans la matière. Il est toujours propre, tendance qui peut dégénérer en maniaquerie. La princesse ne voulait pas non plus que la grenouille mange à sa table ou dorme dans son lit, mais elle y consent finalement. Cela s'insinue dans l'inconscient de l'enfant et l'éveille à la nécessité de dépasser son dégoût du contact.

L'enfant intellectuel

Ce type d'enfant, tendant de plus en plus vers l'abstraction de concepts dépourvus de vie, de chaleur, de sensation, est un signe caractéristique de notre époque où la pensée et le sentiment se rejoignent difficilement. Physiquement, la tête de cet enfant est souvent plus grosse que la moyenne, donnant l'impression d'un corps trop faible pour la soutenir, d'autant plus que les membres sont peu développés par rapport au crâne. Lui non plus n'aime pas se salir les mains, non pas parce qu'il est introverti, mais parce qu'il préfère vivre de mots, d'idées, d'études, qui lui sembleront de plus en plus supérieurs au travail manuel et à l'expression émotionnelle.

Un tel enfant peut s'acheminer vers la recherche en mathématiques ou toute autre science et faire des découvertes géniales mais, si les circonstances familiales sont défavorables, il risque de s'enliser dans la stérilité d'un verbalisme coupé de la réalité.

Son image dans les contes de fées est le roi qui, assis sur son trône, n'agit pas physiquement mais se contente de parler, de donner des ordres et d'émettre des opinions concernant l'état de son royaume. Il advient toujours que ce genre de roi tombe malade, dépérisse et meure (à moins que son fils ou sa fille ne le sauve grâce à un renouvellement psychique, image qui prévient l'enfant des effets sclérosants d'un hyper-intellectualisme). Lorsque le fils du roi revient vainqueur d'épreuves et possesseur du remède qui guérira son père, l'enfant comprend, plus ou moins inconsciemment, que c'est l'amour éprouvé par le prince qui guérit la sclérose intellectuelle du roi, que les mots et les idées ne sont pas supérieurs à la vie, au sentiment et à l'action, et que seule l'expérience du réel peut éviter la mort de l'âme.

L'enfant méchant

L'enfant qui risque, en grandissant, de devenir méchant, envieux, cruel, trouve son remède chez la marâtre ou la sorcière, dont le sort tragique lui fait prendre conscience des conséquences néfastes de tels penchants. En effet, on s'aperçoit plus aisément de la laideur de l'envie et de la méchanceté lorsqu'on l'observe chez autrui. Ce constat renvoie l'enfant — et l'adulte — à lui-même et soulève un sentiment de répulsion envers la cruauté, ce qui fait naître le désir de se transformer. La laideur physique de la sorcière ou de la marâtre nourrit dans l'inconscient la notion que les vilaines pensées finissent par imprimer sur le visage des traits disgracieux, ce qui nous incite à nous en tenir à l'écart. Les tourments sans fin du méchant qui ne se corrige pas sont figurés par la mort atroce de la sorcière dans la fournaise ou dans le tonneau à piques, alors que la disparition de la marâtre à la fin du conte montre à l'enfant que le bonheur ne vient que si les tendances négatives sont éliminées.

L'enfant anxieux

Le personnage des contes qui agit thérapeutiquement sur l'enfant anxieux est la victime de la peur [1]. Ce personnage finit toujours par triompher de la peur grâce à sa victoire sur le facteur qui en est la cause (le loup, la sorcière, le dragon, etc.).

Certains sont défavorables aux contes sous prétexte qu'ils suscitent la peur chez l'enfant, méfiance qui disparaît quand on comprend la fonction de cette émotion dans le contexte des histoires. Les enfants savent qu'aucun loup ne va les manger, mais ils *aiment* avoir peur et *adorent* les frissons. Pourquoi, sinon, parleraient-ils tant entre eux de fantômes et de magie ? C'est que la peur les fait vivre intensément, mais de telle sorte que toute leur conscience est ramenée au centre d'eux-mêmes, comme si, la mort à la porte, ils échappaient déjà à l'emprise terrestre. La peur nous promène vers la mort, et notre peau devient blanche car le sang la quitte pour se localiser au milieu du corps. Le seuil de la mort est aussi l'entrée dans une nouvelle vie. Mourir, c'est renaître. Les enfants se délectent d'histoires qui donnent la frousse et les adultes se dépêchent de vivre afin d'arriver au guichet de la nuit blanche...

Demandez à un enfant anxieux quelle histoire il voudrait entendre, il en choisira une qui fait peur,

---

1. Histoires d'enfants abandonnés et de petits cochons menacés par le loup, etc.

comme celle du loup et des petits cochons. Pourquoi ? Parce que ce sera pour lui une occasion de laisser émerger son anxiété et d'en être conscient, de la vivre jusqu'au bout et de s'en débarrasser, de regarder droit dans l'ombre pour voir qu'aucune sorcière ne s'y cache. Parce que, surtout, il deviendra capable alors de dévoiler l'amour qui était bloqué derrière son anxiété. Cela devient « clair » pour l'enfant lorsque le septième petit cochon, auquel il s'identifie, échappe au loup et retrouve l'affection de sa mère. Celle-ci ouvre le ventre du loup avec un couteau, c'est-à-dire qu'elle regarde de près et avec discernement l'objet de la peur. Alors les six autres petits cochons sortent, sains et saufs. Si l'on observe directement la peur, elle disparaît et on s'aperçoit qu'elle ne nous avait pas vraiment dévorés.

Le conte finit bien, puisque le loup se réveille avec des pierres dans le ventre et, en se penchant pour boire, tombe à l'eau et se noie : le mal *se détruit* et *s'élimine*. L'enfant est persuadé qu'il vaincra sa peur. Le cochon qui triomphe du loup, l'enfant qui abat la sorcière, le héros qui domine le dragon, tous stimulent le courage et la confiance du jeune anxieux.

L'enfant triste

Cendrillon, et toutes les demoiselles et princesses maltraitées ou en détresse, sont bénéfiques à l'enfant mélancolique qui, particuliè ement réceptif et intériorisé, peu dynamique dans le domaine pratique, possède une vie psychique intense et ressent fortement les choses. Ses parents, le voyant passif, le poussent à agir — comme fait la belle-mère avec Cendrillon —, d'où son sentiment d'être maltraité et mal-aimé. Pourtant, ce n'est pas par paresse qu'il agit peu, mais par timidité et manque de confiance, et parce que, son énergie étant toute concentrée au-dedans de lui-même, il parvient difficilement à s'extérioriser. L'éducateur doit l'aider à canaliser sa force — il en a beaucoup — dans une activité quelconque.

L'enfant mélancolique adore les histoires tristes, qui l'incitent à surmonter son état, alors que des histoires contées de façon rapide et joyeuse l'enfoncent davantage dans sa nostalgie. Le conteur appuiera donc sur le misérable sort de Cendrillon et s'attardera sur les larmes des demoiselles en détresse. Cela ne manquera pas de stimuler son intérêt (puisqu'il se sent concerné), sa compassion (car il est bien placé pour comprendre la souffrance de Cendrillon) et son courage (sachant enfin qu'il n'est pas seul dans sa peine et que d'autres endurent plus encore). Ce serait une erreur de vouloir exciter son courage avant d'avoir éveillé son intérêt, car cela est au-dessus de ses forces et ferait empirer son état. Si Cendrillon trouve le courage d'affronter la situation, c'est grâce à sa bonté. Lorsque enfin, elle s'éprend du prince et se persuade de retourner au bal, fête du bonheur, l'enfant mélancolique est réconforté et confirmé dans la démarche qui l'amènera aussi à une forme de réussite et de joie.

L'enfant rusé[1]

C'est le Brave Petit Tailleur, et son espèce, qui convient à l'enfant rusé, car il lui montre comment manier son intelligence, *au bénéfice de tous,* pour surmonter les épreuves, contourner les obstacles et s'attaquer à des tâches dépassant ses seules capacités humaines.

Lorsque le Petit Tailleur ruse avec les géants (il a été désigné pour les éliminer) en leur faisant croire qu'il est plus fort qu'eux à tout point de vue, son intention est de les inciter à utiliser leur propre force pour s'entre-tuer. Ainsi ne nuiront-ils plus à la sécurité des gens. La ruse sert alors au bien général, et l'enfant est averti contre un mauvais usage de son intelligence.

Au début du conte, le Petit Tailleur triche en prétendant posséder une force colossale. A cette fin, il porte une ceinture portant l'inscription : « Sept d'un coup. » En fait, il s'agit de sept mouches qu'il vient de tuer, et non pas de sept guerriers. Est décrite ici la tentation à laquelle s'expose l'homme en se séparant de la nature et du monde : la tendance à manipuler sa pensée de façon mensongère et perverse. Cette déformation est corrigée lorsque cette même ruse place le Petit Tailleur dans une situation où il doit réellement faire preuve de courage en affrontant les géants.

1. Ce thème sera davantage développé dans le dernier chapitre : Contes, Le Vaillant Petit Tailleur, *infra.*

Cela montre comment la pensée, mal dirigée, provoque des complications et des situations fausses, puis comment l'intelligence peut se racheter en se soumettant à l'intérêt général (les géants menacent la vie des humains). Le bonheur est alors mérité, et le Petit Tailleur, en guise de récompense à sa conduite, a le droit d'épouser la princesse.

Un conte similaire, qui exerce une action extrêmement thérapeutique sur l'enfant rusé, est celui du berger las de garder les moutons. Pour se distraire, il conçoit l'idée de crier : « Au secours ! Le loup ! » se réjouissant à l'idée que les villageois vont sortir de leurs maisons, fourches et haches à la main. C'est ce qui se produit : le berger rit aux éclats, et les gens, mécontents, rentrent chez eux. Trois fois de suite, le berger crie au secours et s'amuse aux dépens des villageois. Puis, un jour, un loup surgit vraiment et dévore les moutons. Les cris désespérés du berger ne produisent aucun effet sur les habitants du hameau qui croient à une autre farce. Trop de ruse mal maîtrisée entraîne le malheur chez celui qui s'en sert, l'incitant à corriger ses déformations.

L'enfant coléreux

De physique trapu, la poitrine saillante (contrairement au mélancolique, longiligne avec un thorax creux), l'enfant coléreux trouve sa joie et son remède dans le vaillant conquérant, l'aventurier, le prince puissant et le chevalier courageux qui, sans peur, s'affranchit de tous les obstacles. Le coléreux s'impatiente si on lui raconte de longues histoires, s'ennuie si elles sont tristes et se moque des petits cochons qui tremblent devant le loup. En revanche, il ne se lasse pas d'entendre comment le prince vigoureux secourut la princesse en danger. Cela fournit à son énergie une bonne direction pour se canaliser, lui évitant de devenir destructrice, tare principale du coléreux. Si, par exemple, l'enfant a tendance à frapper ses camarades de classe avec une corde ou un autre objet, le conteur dira que le prince sauve la demoiselle en détresse justement à l'aide d'une corde, ce qui lui donnera les moyens de transformer son mauvais usage des objets en action positive.

Cet enfant a besoin d'admirer et de respecter, sentiments qu'éveille en lui l'aventurier lorsqu'il vainc le dragon. Le respect qu'il en éprouve ne tournera pas à la déception vis-à-vis des personnes réelles, car la faiblesse de la princesse secourue l'invite à compatir, et le dragon dominé lui apprend à voir et à dompter ses propres défauts plutôt qu'à critiquer ses compatriotes.

L'enfant coléreux ne peut se calmer qu'après avoir été satisfait et pleinement nourri de ce genre de contes. Lorsqu'il est agité, au lieu de lui imposer l'immobilité (ce qui le fait littéralement bouillir d'impatience), mieux vaut lui demander de battre des tapis ou de s'adonner à un travail semblable. Cette astuce lui donne la possibilité de canaliser positivement son excès d'énergie.

Ayant soumis le dragon et réussi toutes les épreuves, le héros se marie avec la princesse ; ce symbole se traduit, au niveau inconscient, par le désir, la nostalgie, le pressentiment de l'union avec le divin. Ces résidus inconscients poussent l'enfant coléreux à diriger ses forces vers la conquête de lui-même et l'accomplissement spirituel comme une promesse de paix après l'orage et d'amour après la lutte. Un tel procédé est salutaire pour cet enfant doté d'un ego puissant, lequel, sinon, risque de s'amplifier démesurément ou de s'endurcir.

LES CONTES DE FÉES,
MÉDICAMENTS DE L'ÂME

La lutte entre l'ego et le Soi

La trahison que les frères ou sœurs aînés complo-
tent contre le cadet-héros trace allégrement la
résistance que le mental oppose au Soi, ou que
l'ego érige contre l'Amour. C'est l'un des thèmes
centraux des contes de fées, car non seulement la
fin heureuse de l'histoire, mais le drame humain
tout entier dépendent de son dénouement. Cette
révolte de l'ego déferle chez les méchantes sœurs
de Cendrillon et chez les princes aînés qui s'approprient la victoire et la princesse remportées par le
cadet. « Tu aurais dû être plus malin et ouvrir les
yeux, disent-ils, nous avons volé — l'eau de
Jouvence, l'oiseau d'or, l'anneau magique, etc. —
pendant que tu dormais. » L'amour est ici accusé
de manquer de discernement, d'être trop innocent,
non devant Dieu, mais devant les hommes. Le
héros est exhorté à réparer cette faute, à combiner
en lui-même ces deux qualités si souvent contradic-

toires. Les frères aînés trahissent le cadet pendant qu'il dort : lorsque l'amour du cœur décline, le mental en profite pour dominer la scène.

On comprend facilement pourquoi l'ego lutte contre l'amour du Soi : autrement, il meurt. Vieille réaction d'autodéfense. Un processus similaire se produit lorsque le moi côtoie trop souvent l'inconscient pendant des états de semi-éveil : des morceaux de l'ego sont engloutis et perdus et, avec eux, des caractéristiques personnelles et des plages de souvenirs. Les contes personnifient ce phénomène avec les chasseurs (candidats à la quête spirituelle) qui disparaissent les uns après les autres dans un marais, ou s'enfoncent dans une forêt si sombre et solitaire *qu'on n'y voit rien* (il s'agit d'un domaine où l'on n'accède pas avec les sens physiques), et d'où personne ne revient. En raison de ce danger, aucun chasseur ni aucun chevalier n'ose plus s'aventurer dans la forêt : les accidents subis par ceux qui méditent effraient les gens qui préfèrent alors garder leur moi tel quel et vivre petitement. Il arrive également que le chasseur, fasciné par le gibier, le poursuive jusqu'à se perdre dans les marais, tout comme, lors de la chasse intérieure, l'adepte, obnubilé par l'attrait des pouvoirs, des visions, des couleurs lumineuses et des sons psychiques, finit par stagner et s'enliser.

La résistance de l'ego envers le Soi apparaît dans les contes où la vieille [1], la voix mystérieuse (le maître) exigent du héros qu'il veille *immobile* sur

1. Grimm, *Contes, Jean-de-Fer.*

une fontaine d'eau claire comme du cristal (le champ de la conscience purifié par la contemplation) que rien ne vienne la *souiller*. Ainsi le Soi applique une pression sur le moi afin de le rendre réceptif et souple, mais le héros laisse tomber des cheveux dans l'eau, s'y regarde, narcissique, complaisant, et médite de telle sorte que sa vanité (l'orgueil spirituel) s'en trouve fortifiée. C'est alors le temps de l'exil. Le maître renvoie le héros dans le vaste monde apprendre la souffrance et la pauvreté. Puisqu'il méditait mal et se sclérosait dans une impasse, on le dirige vers la voie de l'action, de la vie quotidienne faite de peines et d'échecs où, le dépouillement aidant, ses résistances seront brisées.

Comble de subtilité, les contes de fées démontrent que les pressions exercées par le Soi sur l'ego sont constamment et parfaitement appropriées aux types de résistances que celui-ci oppose. L'impatient recevra l'épreuve de la patience, le gourmand l'épreuve de la modération, et dans le cas présent, l'orgueilleux passera par le creuset de l'humilité. Le prince, méconnu, sera employé à la cuisine, à balayer les cendres et à chercher l'eau au puits. Il connaîtra la sueur et la fatigue à bêcher et à désherber le jardin jusqu'à ce que sa vanité et sa luxure, ses illusions et ses espoirs soient anéantis. De nouvelles tentations viendront l'éprouver : la princesse du château lui donnera des ducats pour tester son détachement ; son maître lui fournira les moyens de vaincre les ennemis du roi et de gagner les tournois et jugera ainsi de son humilité. Lorsqu'il redistribue l'argent aux enfants du jardinier et couvre son visage d'une casquette afin qu'on ne reconnaisse pas en lui le vaillant guerrier, alors, et alors seulement, il est considéré à sa juste valeur. La princesse l'embrasse, les noces sont célébrées et le trésor lui appartient.

Pour réduire ses résistances mentales, le héros doit d'abord se sentir plus malheureux dans son ego que lorsque son cœur s'ouvrait à l'amour, puis épurer son inconscient des tendances négatives latentes (on l'oblige, par exemple, à vider l'eau du marais où disparaissaient les chasseurs). Enfin, il doit se montrer capable de résister au désir d'utiliser son prestige (son pouvoir psychique) pour obtenir des richesses matérielles.

Les contes de fées enseignent que les difficultés personnelles infligées par la vie sont proportionnelles à la force intérieure de chacun, et que le Soi connaît la manière adéquate de nous faire avancer sur le chemin. D'une rupture sentimentale à la mort même, tous les moyens sont bons pour écraser nos défenses. Celui qui n'accepte pas ce qui vient, mais impose toujours sa volonté propre, se voit constamment obligé d'encaisser des contretemps et de subir les circonstances. De même, l'ambitieux doit attendre longuement la réalisation de ses moindres projets et les récompenses objectivement légitimes qui lui sont dues. Tout s'accorde pour nous empêcher d'imposer notre loi privée aux événements. Les contes présentent un enseignement extraordinairement profond à ce sujet. Cendrillon, sans se plaindre et sans affirmer sa volonté, doit patienter longtemps avant d'être appréciée comme il se doit ; le héros souffre et parcourt de nombreux sentiers pour atteindre son but.

A l'image du moi, résistant au Soi afin de fuir la nécessité de se transformer ou de se regarder, on peut voir la totalité de l'action humaine, ainsi que le besoin de s'agglutiner dans les villes autour des relations, comme un gigantesque mécanisme de compensation dont sont victimes l'ensemble des individus. On préfère les conflits de couple à l'ennui de la solitude. Certes, la solitude aussi peut être une fuite, mais puisque si peu de gens s'isolent volontairement, il faut croire qu'une telle évasion est difficilement supportable : elle nous montre vite notre pauvreté et nos angoisses. La Vie, c'est-à-dire le Soi, s'arrange souvent pour contraindre à la solitude celui qui y résiste avec ténacité.

La lecture des contes de fées prépare les enfants à affronter l'isolement. En effet, le protagoniste voyage seul, ou est enfermé dans une roche, ou vit sans compagne dans un pays sauvage ; des enfants sont délaissés par leurs parents. Cet abandon signifie aussi que le monde rejette celui qui, dans sa folle recherche, le néglige. L'ouverture du cœur s'effectue dans le silence, loin des machinations humaines. Si le Soi nous impose la retraite, elle seule nous obligera à un bilan, à un éclaircissement de ce que voilent les compensations relationnelles.

Dans les contes, l'enfant abandonné apprend à ses semblables l'indépendance vis-à-vis de la famille, et la façon de démêler les problèmes.

Cependant, les contes ne parlent pas de réussite matérielle ou de concurrence commerciale. Au contraire, ils dénoncent fortement l'avidité et affirment que la récompense sociale ne vient que par surcroît sans jamais être la motivation de l'action. Le héros la repousse souvent au profit d'une autre récompense : la princesse, l'union spirituelle.

La rigidité de la pensée et l'étroitesse des concepts constituent les résistances du moi les plus réfractaires au Soi qui, en y appliquant une pression, cherche à les assouplir et à les ouvrir afin de favoriser l'évolution du sujet. Lorsque la résistance du moi est trop grande, la pression du Soi provoque alors dans la personnalité un chaos qui sert à dissiper les préjugés endurcis et les habitudes figées. De ce chaos peut naître un bouleversement des idées et des valeurs, processus fermement intégré aux contes de fées. La princesse répugne à dormir et à manger avec la grenouille, refuse de l'embrasser, mais y est contrainte finalement. Tout comme la grenouille masque un prince ensorcelé, de même le Soi se dissimule derrière les événements qui nous heurtent. L'histoire de la grenouille et de la princesse expose l'étroitesse d'une vie limitée aux seules normes esthétiques : lui échappent la force de la laideur, la grandeur de la souffrance, la beauté du vieillissement, bref, la moitié de l'existence, sinon les trois quarts.

Dans certains contes, la pression du Soi sur le moi est incarnée :

— dans l'autorité du roi, qui exige du héros la

soumission aux épreuves avant de lui accorder la main de sa fille ;

— dans la volatilité de l'oiseau rare qui échappe toujours au filet des concepts et des opinions tant que le héros procède de manière avide ;

— dans l'inaccessibilité de la princesse, que seul épousera celui qui accepte de peiner d'aventure en aventure, évitant ainsi la fixation des habitudes ;

— dans la présence de l'enfant, que l'on ne saurait sentir et comprendre sans se départir de ses structures mentales.

L'action multiple des contes de fées

Les contes de fées, grâce à leur caractère irrationnel et imagé, constituent pour le moi intellectuel cristallisé un véritable facteur de guérison. S'imprégner de leur saveur, c'est opérer des métamorphoses psychiques qui, en dissolvant les constructions étroites du mental, atténuent les conflits et les désordres psychologiques, notamment ceux rencontrés sur la voie spirituelle. Le Soi n'est pas directement responsable des déséquilibres mentaux que sa pression semble parfois occasionner ; la faute se situe dans les agissements, les barrières pathologiques de défense et les éléments sclérosés du moi. L'ambiguïté, née de l'emprise des habitudes et, par ailleurs, d'un intense besoin d'ouverture, explique pourquoi les personnes hyperrationnelles peuvent être simultanément fascinées, déroutées et révoltées par les contes de fées, parfaits antidotes des conséquences néfastes d'une logique rigide. Bien que l'être profond souhaite la guérison, une partie de la personnalité s'accroche, par goût morbide, aux états maladifs ou étriqués. On comprend alors aisément la raison de la vitalité et de l'actualité des contes : ils sont le remède contre les maux du xxᵉ siècle. Ce qu'une société refoule resurgit forcément, déguisé sous une autre forme, comme le rêve compense les manques de l'état de veille. Que signifie, à notre époque, l'augmentation des naissances d'enfants handi-capés, surtout de type mongolien, antirationnel et anti-matériel par excellence ? Même physique-ment, son corps ne se solidifie pas comme celui d'un enfant normal mais garde la souplesse du bébé. Psychologiquement, son moi peu structuré est particulièrement apte à pardonner, à oublier, à ignorer rancune et vengeance, telles Cendrillon et Blanche-Neige. Or, si la vengeance entretient et accentue les structures de l'ego, le pardon tend à les assouplir. A un stade antérieur de l'évolution humaine où l'ego, pas encore développé, était informe, la vengeance fut considérée comme une qualité et un devoir : les fils de la famille devaient venger leurs parents déshonorés. Aujourd'hui, l'ego hypertrophié annule la raison d'être de la vengeance ; nous avons besoin de pardon. Ainsi le Christ devançait son époque, préparait le futur. Or, le mongolien incarne des valeurs opposées à celles qui dominent notre temps ; il est, comme l'héroïne des contes, le baume qui pourrait adoucir nos plaies. Une maladie se soigne avec les anticorps qu'elle sécrète ; un sol produit des mauvaises herbes qui, grâce au compost, combleront les carences de la terre. De même, les mongoliens naissent fréquemment chez des couples de milieu intellectuel qui tendent à se scléroser au niveau idéologique. Porteurs d'un message rédempteur, ces enfants jouent un rôle similaire à celui des contes de fées en soulevant une double réaction de sympathie et d'aversion. Sympathie, parce qu'ils ne connaissent pas le mensonge déformateur ; aversion, car ils échappent à notre compréhension intellectuelle.

L'impossible pour la raison s'accomplit dans les contes, de la même manière que l'expérience onirique bouleverse les notions de temps et d'espace. On enjambe d'un pas forêts, mers et montagnes, tout comme, en rêve, l'instant d'une pensée suffit pour voyager au loin. Abolies les durées et les distances, ou réinventées autrement. Annulées les divisions du passé, présent et futur qu'élabore la pensée pour se créer une continuité dans le devenir, ou si entremêlées que nos repères objectifs s'estompent. Rêve et conte nous situent différemment, en marge des normes, là où le monde est en nous, là où jungles et gratte-ciel fabriqués en songe, source des contes, sont plus réels encore que tigre et trafic réveillés, dans ce trou infinitésimal du cœur où, à chaque battement, naissent et meurent les univers.

L'impossible est toujours exigé du héros ; son

succès détermine la fin heureuse de l'histoire. Lorsque le prince réussit l'impossible, l'enfant sait que le phénix peut renaître de ses propres cendres, que l'indescriptible peut être accompli. Affronter et maîtriser l'inconscient n'est guère plus facile que descendre au fond d'un puits noir pour tuer le dragon et sauver la princesse. Jean Dupont parviendra-t-il à transformer son psychisme de plomb en or comme le fait la fille du meunier avec la paille ? L'homme n'apprivoise-t-il pas l'immense nature comme le Brave Petit Tailleur subjugue les géants, réalisant avec la ruse ce qui dépasse la force[1] ?

Tous ces symboles, compris profondément, renseignent sur la manière dont les contes de fées agissent sur l'enfant à divers niveaux. L'éducateur saura alors conter correctement et valoriser les images significatives, lesquelles, sinon, paraissent dénuées d'intérêt. Symboles et images influent sur le tempérament, sur la perception du monde objectif, sur les problèmes psychologiques et sur la dimension spirituelle de l'enfant.

Les tempéraments[2]

L'enfant de type coléreux, contrôlant mal sa force qui explose et détruit, devient vite brutal, impatient, impulsif si l'éducateur n'apporte pas

1. Rudolf Steiner, revue *Triade,* numéro sur les contes de fées, Éd. Triade, Paris.
2. Se reporter au chapitre « Contes de fées et types d'enfants », *supra.*

l'élément d'équilibre : le chevalier dont l'énergie construit, secourt, endure. Scènes qui transforment la nature belliqueuse en bienveillance et philanthropie.

L'enfant flegmatique, au contraire, mou et indolent, devient paresseux et indifférent lorsque l'environnement agit défavorablement sur lui. Exploits héroïques, force et rapidité le dépassent et lui font abandonner la course aux plus doués. En revanche, le conte long à se dénouer en images tranquilles l'amènera à réagir, à sortir de son flegme et à s'activer. Tout récit où la patience est salutaire (Blanche-Neige endormie un hiver ou cent ans attendant le baiser du prince pour se réveiller, la princesse déguisée en âne, humiliée longuement avant d'être appréciée, etc.) métamorphose la lenteur de l'enfant en persévérance et aptitude à entreprendre des œuvres de longue haleine (recherches livresques, écriture, documentation).

L'enfant mélancolique, quant à lui, se renferme, ramène son énergie à l'intérieur de lui-même par la rumination, la timidité ou l'introspection et risque de devenir aigri, cynique, misanthrope. L'histoire gaie et légère l'attriste davantage, trop étrangère à ses préoccupations. Son affinité avec les malheurs et les larmes éveille son intérêt pour une relation bienveillante à l'égard d'autrui. Ainsi, la mélancolie s'achemine vers la compassion.

Les contes où une malheureuse fille doit contourner patiemment des obstacles pour atteindre son but révèlent à l'enfant mélancolique le procédé adéquat.

La perception du monde objectif

Les contes, grâce à leur enseignement double, temporel et spirituel, n'éloignent pas l'enfant de la réalité. Leur aspect imagé et irrationnel étanche chez lui sa soif de fantaisie, de merveilleux, le rendant alors disponible aux choses quotidiennes. Confronté trop tôt aux manèges du monde, il risquerait de s'endurcir et de se renfermer. Cela arrive quand la mère ne sait pas, ou n'a pas le temps de raconter des histoires, laissant l'enfant à la merci des événements et des agressions de toutes sortes.

Lorsque la fantaisie de l'enfant a été suffisamment nourrie par les contes de fées, son individualité peut trouver la force morale d'aborder le monde sans subir de dégâts ni s'enfoncer dans la résignation, d'autant que ces récits le familiarisent, sous forme symbolique, avec le problème du mal (la sorcière, la marâtre, etc.). Mais ici, le mal est toujours châtié, le prince-héros vainc invariablement le dragon, ce qui développe chez l'enfant la force intérieure de braver les problèmes sans désespérer et se laisser corrompre. Ésotériquement, l'enfant est préparé à découvrir le domaine de l'inconscient, à rencontrer ses pulsions, ses tendances amorales, etc., tout en évitant l'enlisement ou le découragement. Or, la prise de conscience de nos dynamiques sombres favorise la connaissance de soi et la perception des intentions d'autrui. Le sens de l'initiative et de l'indépendance est stimulé par l'histoire d'un enfant délaissé dans la forêt, qui déploie toute son imagination pour résoudre l'énigme. Le prince qui prend congé du roi, le jeune garçon qui quitte maison et parents pour entreprendre une quête personnifient la lutte vécue par l'enfant lorsqu'il transforme les données héréditaires en acquis personnels, processus lui permettant de construire sa propre pensée et de rendre son corps, modèle des parents, apte à exprimer son individualité. L'enfant découvre sa voie au fur et à mesure qu'il cesse d'imiter. La méchante belle-mère joue un rôle semblable, car les enfants qu'elle élève, puis abandonne dans la forêt, ne lui ressemblent pas physiquement ni psychologiquement. Cette situation, qui suppose la disparition de la vraie mère, produit le double effet de familiariser les enfants avec le problème de la mort et ses conséquences, et de leur fournir l'occasion de côtoyer les difficultés de l'indépendance, l'issue étant assurée par leur victoire finale.

Les problèmes psychologiques

Une excellente méthode pour apprendre aux enfants à s'exprimer corporellement et verbalement consiste à leur conter des histoires pendant qu'ils les jouent. Ils peuvent alors se libérer des tensions dues à un environnement défavorable. Souvent, les situations dans les contes coïncident avec les complications mentales dont souffre l'enfant, ce qui l'aide à dédramatiser son cas et à objectiver, à clarifier et à résoudre son problème,

comme la médecine homéopathique soigne le semblable avec le semblable. Les contes, loin d'être
une fuite, révèlent les processus internes de la
psyché. Ne s'agissant guère de fantasmes d'évasion, ils n'éloignent pas l'enfant de lui-même, mais
œuvrent en catalyseurs symboliques pour stimuler
la force et la perception qui lui serviront pour
éclaircir les confusions de la vie. Même si les contes
s'achèvent sur le bonheur éternel du prince et de la
princesse, ils ne nourrissent pas pour autant les
enfants d'illusions, car le sens profond de cette
félicité se dévoile à leur inconscient : non pas un
bonheur matériel ou sentimental, mais l'extase de
l'union du moi au Soi. Il n'est pas à craindre que
l'enfant soit déçu s'il ne devient pas un roi jouissant
de plaisirs illimités, car l'inconscient *sait* que la
royauté en question désigne la participation de
chacun, au fond de soi, à la nature divine. Le conte
parle ainsi à l'enfant : « Même si ta vie est malheureuse, tu peux t'en servir, comme le héros, pour
parfaire ta maturité psychologique et ton salut
spirituel. »

La dimension spirituelle

Si les contes ne décrivent jamais le royaume
hérité par le prince, c'est qu'il n'est pas objectif et
qu'aucun mot ne saurait véritablement le saisir. En
discourir le réduit et le détruit. De même, tout
concept projeté sur l'Âme fait obstacle à la quête.
Les contes ne mentionnent pas non plus le genre
d'activité entreprise par le prince dans son

royaume de bonheur, car l'intangible unité du Soi se situe au-delà de l'action et de l'inaction. L'Ancien Testament le confirme : Dieu travailla six jours pour créer le monde, puis se *reposa* le septième. Ni entièrement réalistes ni purement imaginaires, le début, le déroulement et la fin des contes n'inventent aucun pays utopique, aucun système social, mais désignent trois phases distinctes de l'évolution intérieure.

1. Les premiers mots du conte : « Il était une fois, mais on ne sait plus dans quel pays, il y a très, très longtemps », renvoient à l'époque où l'homme, relié encore à la vie naturelle, collective et cosmique, ne se dirigeait pas avec la raison mais grâce à sa voyance atavique devenue instinct. Cependant, l'être humain subissait cette vie collective et cosmique, qui n'était pas le fruit d'un mérite individuel, mais la suite héréditaire d'une donnée naturelle.

2. Le déroulement du conte, avec ses aventures et ses épreuves, montre la période où le candidat doit fournir des efforts, acquérir une conscience et une valeur personnelles. Ainsi, dans certains contes, le petit frère n'imite pas l'action des aînés, mais se fraie un chemin neuf, se singularise.

3. La fin du récit, le royaume du bonheur, signifie un retour lucide à la conscience naturelle et cosmique. On peut comparer ces trois phases avec la création, le devenir et la rédemption dans le christianisme. D'un certain point de vue, le début et la fin du conte représentent un même état vécu différemment, d'où leur parenté. Le dernier mot

de l'histoire : « Ils vécurent dans la félicité jusqu'à la fin de leurs jours » souligne la pérennité de ce bonheur, acquis intérieur passé par la conscience individuelle, au contraire du bonheur naïf, atavique et préconscient.

A supposer que le but de l'évolution terrestre soit de faire accéder tous les êtres au divin, il est compréhensible alors que les contes donnent à l'enfant l'espoir d'hériter d'un royaume. Lorsque des entités surnaturelles interviennent pour assister le héros dans la recherche de son royaume, cela sous-entend qu'on ne peut y parvenir par ses seuls moyens, qu'on a besoin de la grâce.

En situant l'origine des contes de fées à une période où la conscience de l'homme était collective ou cosmique, on comprend mieux l'existence de thèmes et de traits semblables dans des récits issus pourtant de peuples divers. Ce fonds commun a certainement d'autres bases que la pensée et l'imagination inventives d'individus n'ayant aucun rapport entre eux. Le cœur des contes se nourrit d'une perception de processus universels, avec lesquels l'homme communiait d'une manière instinctive, puis qui ont été revêtus d'une vision poético-symbolique également de caractère universel. Voilà pourquoi les contes de fées détiennent en puissance toutes les potentialités de l'être humain ; tout ce qui allait se manifester au cours du devenir était contenu, en germe, dans la conscience collective de départ. Cette richesse des contes explique les diverses interprétations qu'on a pu en donner :

naturaliste, psychologique et ésotérique. Ces trois aspects s'entremêlent dans chaque image des contes et lui confèrent sa force et sa beauté exceptionnelles. Par leur intégration parfaite des cycles naturels, des phénomènes psychologiques et des principes métaphysiques, ces images, véritables catalyseurs, agissent sur les divers constituants de l'être à la fois comme thérapie et comme éveilleurs spirituels. L'évolution psychologique provoque des faiblesses dans le corps, d'où la nécessité d'un apport de soins et d'éléments curatifs. Or les contes de fées, en prodiguant un enseignement ésotérique sous forme d'images, stimulent le développement spirituel en occasionnant un minimum de destruction corporelle et énergétique. Il faut dire aussi que nous amoindrissons l'action thérapeutique et spirituelle des contes en les assujettissant à une analyse intellectuelle, ce qui réduit l'effet global produit sur nous par l'influence commune de leurs attributs. Toute interprétation devrait être provisoire et les resituer, ensuite, dans leur perspective intégrale.

Des graines de spiritualité sont semées et absorbées chez l'enfant qui dort, grâce aux images du prince en quête d'un diamant, d'un château au sommet d'une montagne, d'une princesse, etc. Leur contenu symbolique se dévoile alors à son inconscient et y amorce un travail de transformation pendant le sommeil. Aucun moment ne sera donc mieux choisi que le coucher pour lui conter une histoire. Les images, implantées dans son psychisme comme des semences, révéleront plus

tard à la conscience leur sens profond. Soudainement, à quarante ans, l'homme est frappé par un
flash de sagesse dont il reconnaît les racines dans
un conte entendu pendant son enfance. L'éducateur accentue ces métamorphoses intérieures lorsqu'il raconte régulièrement un même récit qui
correspond à la constitution et au tempérament du
bambin. Dans ce cas, d'ailleurs, bien souvent, le
petit réclame spontanément le conte qui lui
convient (l'enfant rusé exige *Le Vaillant Petit
Tailleur* et ainsi de suite).

Cette action profonde que les contes effectuent
sur nous dérive en particulier des nombreuses
transformations qui leur sont propres et qui agissent sur notre âme en la rendant souple et mobile,
en élargissant sa gamme de perceptions et de
sentiments. Cela se produit quand nous assistons
intérieurement aux images où un homme est
changé en gazelle, un crapaud en princesse, etc.
Ces transfigurations concordent avec celles que
subit l'esprit lorsqu'il entre en méditation et
« passe à travers » l'aspect sensible des objets
pour atteindre leur résonance intrinsèque. La perception expérimente une telle transmutation grâce
à la méditation où les yeux du corps s'unissent à
ceux de l'âme. L'adepte passe alors des formes
extérieures à la présence essentielle des objets
qui, regardés ainsi, se fondent dans la conscience
du méditant. Cette expérience :

1. constitue une première approche de la reconnaissance du divin dans les phénomènes matériels ;

88

2. rend toutes choses vivantes, pierres et bois, comme dans les contes ;

3. dégage le moi en tant que facteur unifiant des objets ;

4. fait du monde un compagnon, un rappel constant à la sensibilité, et de la solitude un message de communion.

L'action des contes influe également sur le langage. Leur vocabulaire imagé ressuscite les représentations vivantes des mots, ce qui est important pour une civilisation dont la langue devient de plus en plus mécanique, abstraite, morte. Par exemple, la puissance magique des deux « s » dans la parole : « Sésame, ouvre-toi ! » oblige la roche à s'écarter, car cette lettre est liée aux phénomènes surnaturels ou aux êtres sournois comme on le pressent dans les mots « Lucifer », « serpent », « Satan », « sacré », « assassin », « sacrilège ». Elle possède d'ailleurs la forme d'un serpent, d'où son origine possible, car ce reptile produit un son semblable à la phonétique du « s ». Le langage imagé et musical des contes fascine les enfants, comme les mots tels que « caca », « pipi », qui reviennent au même que « clapotin-clapoti » et « papa ». Séduits par la composition frappante de certaines consonnes, les enfants de milieu ouvrier construisent des chansons entières à partir de mots blasphématoires. De ce fait, les mots-images percutants à répétition dans les contes de fées sont très aimés des bambins et fort profitables à leur développement psychique parce qu'ils atténuent les dégâts provoqués par une intellectualisation prématurée.

La lettre « a » dans des mots comme « ange », « sage », « maman », « papa », « abracadabra », « âme », « amitié », éveille l'enfant au sentiment de gratitude et d'émerveillement. Lorsqu'elle se présente dans un récit, le conteur peut la prononcer avec un accent prolongé afin de rehausser son effet, tout comme on effraie un enfant en exagérant la syllabe « ou » dans les mots « loup », « trou », « frousse », « trouille », « boue ». Chaque lettre produit donc une impression spécifique sur l'organisme de celui qui l'écoute.

L'initiation à la quête intérieure

La vaste sagesse qui imprègne les contes de fées, source d'étonnement et de reconnaissance, n'a son pareil en aucun autre genre littéraire. Ces récits contiennent tout ce qui concerne la quête intérieure, des qualités exigées du débutant jusqu'aux caractéristiques du sage accompli. Leurs images d'apparence irrationnelle cachent une logique précise et la démarche qu'ils suggèrent s'appuie toujours sur une solide base ontologico-métaphysique. Considérons la princesse du Toit d'Or[1], dont les vêtements et tous les objets quotidiens, des seaux

1. Grimm, *Contes, Le Fidèle Jean.*

de la cuisine au lit royal, sont fabriqués en métal précieux. Le prince ne peut prétendre à la princesse que s'il possède aussi de l'or et le transforme en de nombreux ornements, statues et vaisselle dignes de lui être offerts. Certes, on pourrait interpréter ces données à la façon marxiste en s'attachant aux mœurs et aux classes sociales, mais nous nous éloignerions de la signification essentielle du conte, à savoir que pour épouser la princesse, le prince doit posséder ses valeurs et ses qualités psychiques, car la princesse incarne l'Âme, but de la quête. L'idée qu'à sang royal doit s'unir sang royal, transposée, signifie que si l'homme cherche l'Âme, c'est qu'elle est déjà au fond de lui.

Sur la base de cet enseignement, le conte montre comment parvenir à l'union. Le serviteur du prince présente à la princesse les objets d'or et elle souhaite les acheter tous. « Je ne peux pas vous les vendre, dit le serviteur, car ils appartiennent à mon maître. Et puis, il en possède tellement que vous les apporter prendrait trois jours. — Emmenez-moi chez lui, répond la princesse, car je ne résiste pas à la beauté de ce travail. » Le serviteur l'accompagne au bord de la galère du prince, et pendant l'inspection des objets, il lève l'ancre. La galère gagne le large, et la princesse, en apprenant l'origine royale du marchand, consent à l'épouser.

Le prince n'est pas allé lui-même vers la princesse, mais s'est contenté d'établir les conditions favorables à sa venue chez lui, car le chercheur spirituel, au-delà de la phase de développement personnel, doit cesser de quérir et savoir attendre. Il ne peut se diriger vers Dieu puisque celui-ci est au-dedans de lui-même. Les conditions de cette attente sont implicites dans l'image de la galère où se tient le prince. L'eau symbolise le psychisme (d'où, en rêve, la signification de lacs clairs et d'étangs visqueux) et les remous incessants figurent les émotions, désirs, états d'âme. L'initié doit apprendre à « marcher sur l'eau », à demeurer impassible face aux vagues psychiques et à mériter ainsi la grâce. L'adepte qui tente de forcer la porte du ciel est en danger d'anéantissement (c'est parfois le sens de l'évanouissement dans les contes) ou s'expose à de graves déséquilibres psychiques, ce qui est mis en relief lorsque le prince, devant la princesse qui dépasse en beauté ce que son imagination concevait, sent son cœur près d'éclater. La révélation divine bouleverse, même si elle n'est pas provoquée imprudemment. Un éléphant, enfermé dans une cabane de deux mètres carrés, cause inévitablement des ravages. Comment verser l'océan dans une goutte sans risque de débordement ? Même Jésus s'isola quarante jours dans le désert lorsque, par le baptême, il incarna le Christ, car son petit corps d'homme peinait à contenir, sans exploser, l'immense Esprit solaire.

De nombreux contes parlent d'un enfant (souvent une fille à la recherche de ses frères transformés en corbeaux par exemple) qui marche jusqu'au bout du monde et parvient au soleil. Mais l'astre est terrible et mange les petits innocents. Ces lignes d'une simplicité étonnante renferment des indications précieuses quant au chemin parcouru par l'initié. Chercher ses frères-corbeaux oblige la fille à traverser les airs, à pénétrer dans le domaine spirite, astral et fantasmagorique (le corbeau est associé aux forces magiques). Dans ce monde, les sept oiseaux représentent les sept plans subtils, les sept vallées, les sept planètes qui jalonnent l'itinéraire. Les planètes influent sur le psychisme et les diverses couches mentales, alors que le soleil, point de mire du pèlerinage, est métaphore de la dimension extra-humaine. La fille qui « marche tout droit jusqu'au bout du monde » ne s'attarde donc pas aux étapes intermédiaires, aux pouvoirs miraculeux, mais s'élève au plus haut degré de l'initiation. Le « bout du monde » signifie la limite des facultés humaines, qui doivent alors être abandonnées afin que le divin puisse apparaître. C'est pourquoi le fils aîné, dans les contes, échoue chaque fois qu'il se met en route en se fiant à son intelligence propre, tandis que le Simplet, dépouillé, réussit la tâche. Cet « anéantissement » de soi, mort intérieure et sacrifice de l'être, est implicite dans la phrase : « Le soleil était terrible et mangeait les enfants. » Impossible de s'approcher de l'astre diurne et de retenir la moindre substance combustible. Seul subsiste ce qu'aucune flamme ne peut dévorer. Les histoires où l'ogre mange des enfants ont une signification analogue.

Cela pose la question de l'incinération des cadavres. En brûlant un mort, on suppose qu'il est prêt pour le soleil, c'est-à-dire à être totalement libéré de son enveloppe charnelle, y compris ses six corps subtils, à se détacher de toutes choses terrestres et surnaturelles. Ce rite est donc salutaire, à condition de s'y préparer, car seul lui survit ce qui ne peut être brûlé, mouillé ou coupé : l'essence immortelle. Voilà le sens de l'utilisation, dans les cultes religieux, de substances qui, en se consumant, ne laissent aucune trace (camphre, myrrhe, encens) ou se transforment en un résidu (les cendres : Cendrillon dort dans les cendres du foyer ; elle subit le processus de la mort psychique, manifeste également dans l'humiliation infligée par ses sœurs). S'éclaire alors l'étrange déclaration des mythologies slaves : « Dieu mange ses enfants vivants », une fois purgée de notions anthropophages ou anthropomorphes.

Dans certains contes, la jeune fille se protège du soleil et parfois même fuit, mise en garde contre les dangers d'une exposition hâtive à la lumière spirituelle : l'énergie vitale et les corps subtils risquent d'être incendiés et annihilés (les corps de yogis disparaissent parfois subitement, désintégrés par le Feu cosmique), ou la personnalité perd les moyens de s'adapter aux conditions sociales. Incinérer quelqu'un d'insuffisamment préparé, qui restera donc accroché à son corps et à son psychisme même après la mort, lui cause panique, souffrance et désarroi, mais constitue un moyen efficace de libération.

Se protéger du soleil : ne pas s'éteindre complètement en nirvana mais garder les moyens de se manifester, de s'incarner. Voilà ce qui advient lorsque l'enfant, fuyant le soleil, gagne les étoiles.

Celles-ci lui remettent un osselet en disant : « Grâce à cet osselet, tu pourras ouvrir la montagne de verre où tes sept frères sont emprisonnés[1]. » Les textes ésotériques affirment que l'âme, après la mort, traverse les sphères planétaires pour aboutir aux étoiles fixes, lieu de repos, en attendant de revenir sur terre. Dans le conte, l'étoile du matin — de la renaissance, de la fin des ténèbres — donne l'osselet à l'enfant. Or, l'os est ce qui échappe à la putréfaction de la chair, ce qui se cache au plus profond de l'homme. La montagne de verre, endroit invisible, maintient captives les âmes désincarnées (les corbeaux), qui errent dans la prison transparente, construite de leurs projections mentales. Celui qui rencontre Dieu (le soleil), mais préserve les instruments de manifestation (l'osselet) et détient la lumière rajeunissante (l'étoile du matin) peut entrer chez les morts (la montagne de verre) consciemment et les aider à s'émanciper du vagabondage éternel dans le monde des fantômes.

Parfois, l'enfant ne réussit à ouvrir la montagne qu'en se fabriquant une clé avec le squelette d'un de ses propres doigts ; un tel sacrifice constitue la preuve de son détachement par rapport aux corps physiques et subtils (Ramana Maharishi se fit opérer le bras plusieurs fois sans anesthésie).

Le dépouillement de soi dont il vient d'être question est souvent personnifié par le Simplet,

1. *Ibid.*, *Les Sept Corbeaux.*

étranger à la ruse, au calcul et aux déductions logiques. Il ne connaît rien du monde, et ce sont ses trois frères aînés (la pensée, l'émotion et la volonté) qui partent accomplir la mission assignée par le roi. Mais ils échouent (les facultés humaines sont insuffisantes), et le Simplet prend alors congé pour réussir cette entreprise grâce à son intuition, sa bonté et sa perception directe des choses. La victoire qu'il remporte sur ses frères montre l'incapacité des ressources mentales, livrées à elles-mêmes et privées de leur racine spirituelle, à réaliser l'exploit exigé : trouver la princesse, le joyau, l'oiseau rare, etc., tous symboles du divin.

Tout comme les frères aînés méprisent et malmènent leur cadet, jugé imbécile, de même le psychisme, à tous les niveaux, repousse et étouffe l'enfant spirituel qui doit naître en nous. Voilà pourquoi ce thème est si répandu dans les contes de fées.

Ce type de récit instruit le pèlerin sur le moment où ses facultés mentales auront à céder la place à la présence spirituelle, période pénible résultant d'un malaise chaotique à chaque passage d'un plan inférieur à un état supérieur. Lorsque l'enfant spirituel se dévoile en nous, mais pas encore assez pour suppléer aux moyens ordinaires, nous nous sentons désemparés, ne sachant plus comment fonctionner. Nous devenons « stupides », « inadaptés » et « incapables » vis-à-vis du monde, à l'image du Simplet. Se découvre alors l'innocence originelle, empire du non-savoir, qui précède l'éveil mystique et dont Parsifal est un des prophètes les plus pertinents. « Tout le monde a beaucoup à dire sauf moi », dit le sage zen.

L'innocence du Simplet et son lien étroit avec la dimension sacrée expliquent sa nature généreuse malgré l'incompréhension, la méchanceté et les railleries des malins frères. Même si la situation vient à l'accabler de tristesse, elle ne le rend jamais cruel. Cela démontre la bonté de notre être fondamental en dépit de nos erreurs et situe l'origine de notre nostalgie dans le conflit interne qui nous sépare du Soi. Les difficultés surgissent parce que le noyau spirituel, qui demeurait jusqu'alors retiré dans sa dimension propre comme derrière un voile, se trouve appelé maintenant à diriger les affaires de plus en plus délaissées de l'ego (la faillite des opinions, de la volonté personnelle, etc.).

La tâche que le Simplet doit accomplir, ratée par ses aînés, constitue l'axe central des contes, car elle correspond à l'étape délicate du cheminement intérieur où le nouveau-né innocent doit remplacer les vieilles habitudes intellectuelles et émotionnelles et prendre en charge la vie quotidienne. Cette épreuve, réussie, procure à l'initié le pouvoir d'accoucher de la conscience divine dans les actes les plus ordinaires. Si les contes ne disent pas pour quelles raisons le Simplet est stupide, c'est qu'au fond il ne l'est pas, mais attend seulement une maturité qui révélera sa véritable nature. L'idiot des contes est le moi dépouillé de ses certitudes rationnelles, opinions arrêtées et manies fonctionnelles ; il présage la nuit, le désert, le vide où l'âme devra séjourner avant d'atteindre l'Illumination.

Que les frères aînés manquent le but qu'ils s'étaient fixé, voilà la perle de l'instruction spirituelle des contes de fées. Elle amène l'adepte à reconnaître sa propre nullité : comment une mite peut-elle approcher le soleil ? Récognition *indispensable* car, sans elle, le chercheur persistera à vouloir réussir l'épreuve avec sa petite lampe mentale qui risque d'éclater s'il ne comprend pas la nécessité de l'abandonner au profit d'une autre lumière.

Il se trouve toujours que le Simplet est le cadet : nos aptitudes mentales se développent avant notre être spirituel. Il serait donc faux de considérer le Simplet comme le dernier-né dans une famille réelle, ou d'attribuer à son succès le désir de surpasser ses frères. Faire mieux qu'autrui a peu d'intérêt et de valeur dans ce contexte et ne modifie rien de fondamental.

Une fée, un oiseau ou un renard assiste souvent le Simplet dans son entreprise car, grâce à son contact avec le sacré, il est du même coup relié aux forces naturelles, ce que les aînés (les facultés mentales) sont impuissants à effectuer. Alors qu'ils se comportent méchamment envers les animaux, le Simplet les nourrit, ce qui souligne notre séparation d'avec la nature provoquée par le mental.

Un mot peut résumer ce qui précède : « déconditionnement ». Ce thème est exploité dans les passages où des enfants sont abandonnés par leurs parents, ce qu'il ne faut pas interpréter littéralement (la pauvreté matérielle et ses problèmes consécutifs). Les parents ne peuvent plus nourrir leurs enfants, sont inaptes à leur apporter le nécessaire *pour croître sur les plans psychologique et spirituel*. Ces parents sont « pauvres » : le milieu familial est insuffisant pour soutenir l'évolution intérieure des enfants qui devront se soustraire aux influences héréditaires afin de découvrir leur voie propre. Or, dans ce genre de conte, toujours une destinée spirituelle les pousse à se fourvoyer dans la forêt, à ne plus se satisfaire de sécurité uniquement matérielle, à rencontrer et à triompher de la sorcière, à se voir en profondeur sans succomber au désespoir, à la débauche ou à la folie. Ils doivent donc être abandonnés par leurs parents et cesser d'entretenir les idées étroites de la famille. Ils doivent interrompre la chaîne du vieux schéma de père-en-fils et de fils-en-père afin de supprimer l'emprise du passé et du poids ancestral. Sans cela, ils ne parviendront jamais à la maturité nécessaire à la conversion spirituelle. Les liens du sang, rompus, désuets, doivent être remplacés par les affinités spirituelles au-delà des notions de famille et de clan, indépendamment de la chair qui nous a procréés, à l'encontre du conditionnement social et culturel. Qui entend cheminer vers l'Esprit ne peut plus s'enliser dans le confort matériel ; l'insatisfaction joue un rôle moteur dans la quête du Soi. Être délaissé par ses parents, c'est être déçu par le ronron habituel de l'existence et prendre un nouveau départ. La recherche du Bouddha commença lorsqu'il vit la souffrance du monde, éveillant en lui doute et mécontentement. Que fit-il alors ? Il quitta sa famille pour errer dans la forêt jusqu'au jour béni de son Illumination. Le héros des contes suit le même parcours.

Les enfants abandonnés retrouvent le chemin de la maison, mais il faut comprendre ce besoin du retour au foyer comme la tendance du pèlerin à revenir maintes fois, par faiblesse, à ses habitudes, son confort et son conditionnement rassurants. Revenir chez ses parents — allusion à la rechute dans le passé — révèle la peur d'affronter l'inconnu qui s'ouvre devant soi, une telle défaillance étant interdite à celui qui se destine à défier les menaces d'une sorcière ou d'un dragon. Ainsi, le retour des enfants à la maison ne résout pas leurs difficultés et, coûte que coûte, on les oblige à repartir plus profondément dans la forêt où ils s'égarent irrévocablement. Une voie nouvelle ne peut s'ouvrir que lorsque les acquis du passé se dérobent.

Enfin, les contes où des enfants subissent maintes épreuves dans la forêt avant d'être transformés et heureux cultivent chez le jeune auditeur la foi dans la vie dispensatrice des éléments utiles à son évolution, la confiance qui lui permettra d'être conscient de ses problèmes psychologiques et l'insécurité devant la non-permanence des choses.

Cette connaissance de soi, but ultime des contes de fées, s'effectue aussi grâce aux images qui se déroulent dans l'esprit, qu'elles soient oniriques ou diurnes. Processus connu du chercheur spirituel qui, pendant ses méditations, observe, pour les déchiffrer, le défilé de toutes ces figures à travers son mental. Il saisit ainsi les mécanismes qui, habituellement, passent inaperçus. Par exemple, il se voit en train de chercher partout un objet sans pouvoir le trouver ; ces images peuvent signifier qu'il se trompe dans sa façon de méditer, s'agite trop et essaie d'obtenir à coups de pensée et de volonté ce qui viendra seulement dans le calme. La racine de ces images se trouve dans le conditionnement scolaire et familial qui l'a toujours persuadé que le bonheur s'obtient par les objets, dont la possession demande, effectivement, l'exercice de la pensée et de la volonté. La même attitude s'infiltre dans la recherche du Soi qui, pourtant, ne se situe dans aucun domaine objectif. Il existe des contes qui aident à comprendre ce problème grâce aux images qu'ils introduisent dans l'inconscient : celui, par exemple, où le héros se débat de toutes ses forces pour dénicher un trésor, résoudre une énigme, s'échapper d'une catastrophe, etc., puis, admettant sa défaite, ferme les yeux, se retire du monde objectif et s'écrie : « Qu'arrive donc ce qui doit arriver ! » Quand il s'abandonne, sa flèche atteint l'oiseau, le danger est évité, l'énigme résolue.

Le contenu des contes se transforme en une méditation consistant à contempler les images mentales déclenchées qui, lorsqu'elles correspondent à l'état psychologique de l'auditeur-lecteur, lui permettent de comprendre ses propres processus internes. Entre les difficultés éprouvées par le héros du conte dans la résolution de l'énigme et les tensions cérébrales, l'insomnie, etc., vécues par le

méditant à force de tendre sa volonté vers l'acquisi-
tion d'une chose, il se produit un rapport de plus en
plus pressant qui finit par alerter le sujet de son
erreur. Parce que nous ne comprenons pas directement nos problèmes, ils prennent la forme
d'images plus parlantes et accessibles à notre
entendement. Encore faut-il savoir les déchiffrer !

L'initiation à la quête intérieure se poursuit dans
les contes où le bébé doté d'une destinée spirituelle
(le héros abandonné, Arthur, Moïse) est sauvé des
eaux nourricières et purifiantes[1]. Le meunier,
homme sage et tranquille qui utilise l'énergie de la
rivière pour fabriquer la farine, constituant du
pain, récupère le nouveau-né de son lit périlleux.
Tous deux donc, l'enfant et le pain, commencent
leur vie dans l'eau. Le meunier broie les graines de
blé en farine ; maître du secret de la communion, il
est celui qui crée l'unité à partir d'infimes parti-
cules : sans graine broyée, pas de pain ; sans mort,
pas de renaissance ; sans renoncement, pas
d'Amour. L'enfant sauvé des eaux devient disciple
d'un instructeur accompli qui le guidera perspica-
cement : « Le garçon devint de plus en plus beau et
grandit dans la vertu. » Sachant que les raisins
doivent être écrasés si l'on veut en extraire du vin,
liquide qui, absorbé, dissout les barrières entre les
hommes et les fait tous frères, le lecteur saisira que
lorsqu'un vigneron trouve le bébé, le contexte de
l'histoire change, mais non pas son fond. Le conte
insiste sur ce point quand l'enfant pâle tombe

1. *Ibid.*, *Le Diable aux trois cheveux d'or.*

comme mort et que le vigneron le ramène à la vie en lui administrant du vin. Morts, nous le sommes tous, enfermés dans les tombeaux de nos souvenirs. De cette mort, seule délivre l'ambroisie d'immortalité, liqueur de l'alliance. Mais pour absorber ce vin, il nous faut une coupe propre et disponible, car si la grâce est constante, nous lui obstruons le passage. Le maître apprend au disciple qu'au bout de ses peines l'attend la coupe vide.

Tout conte de fées est un creuset d'alchimie qui transmute le minéral en équation psychologique : l'univers est mental ou il n'est pas. Des images oniriques aux pensées diurnes, il y a un fil de continuité. Son, image, pensée : le chant de l'océan est représentation avant d'être concept. Voilà la base de tout bon apprentissage de l'écriture et de la lecture.

Chacun imagine *son* monde et le peuple à partir de l'étoffe de ses rêves pour meubler sa solitude. Parmi les milliers de femmes, je ne pense qu'à une seule, la mère de ma progéniture. Son image en éclipse toute autre de ma conscience. De même, les étoiles dissipées par le soleil sont présentes au-dessus des activités diurnes. La méditation n'additionne pas, mais soustrait. Elle consiste à cesser de créer et de peupler *son* monde afin que *le* monde, c'est-à-dire le Soi, apparaisse.

C'est une des valeurs incontestables des contes de fées de montrer que nous rêvons la vie et l'univers. Le « comment » et le « pourquoi » de la création demeurent un mystère pour la philosophie, mais l'Orient nous fait silhouettes oniriques dans le rêve cosmique de Vishnou.

Si nous rêvons la vie en images et pensées, n'en est-il pas de même, en partie, de nos chagrins et désespoirs ? Le chagrin existe-t-il sans image mentale ? L'angoisse subsiste-t-elle si l'on n'y pense pas ? Qu'est une chose pour moi si elle quitte mon esprit ?

Après avoir éveillé en nous des sentiments de tendresse et de peur, c'est comme si les contes de fées nous disaient : « Vous voyez, ce ne sont que des images dans votre âme ! » Ils nous enchantent pour nous désenchanter. Ils nous font rêver puis, grâce à un événement brusque ou à une parole mensongère, ils nous réveillent soudainement, nous évitent l'enlisement dans la somnolence.

Plus encore, les contes de fées ressuscitent des images que nous avions supprimées à cause de la souffrance qu'elles occasionnaient. Ainsi, ils incitent à déchiffrer dans nos rêves les obstacles à notre épanouissement psychologique. Prenons l'exemple de l'insomnie due au sentiment d'insécurité qui, chaque matin à trois heures, nous tire du sommeil avec un sursaut de panique et un besoin d'être assurés que nous sommes bien vivants. Ce sentiment nous pousse à nous accrocher au cadre purement extérieur des choses, où nous espérons, à tort, trouver la paix et le bonheur. Impossible pour nous, alors, de réintégrer le sommeil, et nous nous débattons avec les ombres mentales jusqu'au moment où, épuisés, nous devons nous lever.

Il se peut que, pendant ces périodes de confusion, nous soyons avertis de notre erreur par des rêves, rêvasseries ou signes émanant de contes de fées. Voici quelques exemples :

1. On rêve d'être un oiseau pris dans la glace ou la boue.

2. On rêve d'un prince qui, bien qu'heureux dans son palais, ne résiste pas à la tentation de partir malgré le présage de beaucoup d'ennuis.

3. On rêvasse d'un gros ballon qui descend du ciel puis, en se posant sur la flèche d'une cathédrale, éclate et tombe en lambeaux.

Dans de nombreux contes de fées, l'avidité et la méchanceté d'une personne se retournent contre elle en la soumettant à un dur labeur pendant de longues années. Ce type de situation nous aide également à percevoir les causes cachées de nos problèmes. En ce qui concerne l'insomnie, ces récits rendent conscients les facteurs qui provoquent le réveil; ils permettent aussi d'entrevoir les mécanismes internes qui nous déterminent à nous engager dans des voies pénibles et sans issue. Les contes de fées nous révèlent les impressions latentes de l'inconscient *(samskaras)*, les désirs insatisfaits, les dettes karmiques qui nous obligent à agir, et notre demande de sécurité qui, malgré la paix du sommeil profond, nous propulse dans le corps et dans la vie à la recherche du plaisir.

Ce constat peut être libérateur. Il forme la charnière où la vie des images se métamorphose en une méditation qui consiste à mettre en lumière rêves et mobiles, à rester dans l'arrière-plan silencieux jusqu'au dépérissement des facteurs perturbateurs.

A l'autre extrême, existe la réticence qu'éprouve l'âme à quitter l'état de sommeil et à réintégrer le corps et ses activités. Ce refus est problématique s'il relève d'un abandon de responsabilités, d'un manque de courage pour affronter la vie, d'un besoin de protection et de retour à l'utérus.

Le méditant vit un état similaire à l'étape de son parcours où l'accent se place sur l'être au détriment du devenir, où la saveur de l'âme prévaut sur les plaisirs corporels. L'adepte se moque du spectacle du monde, sans substance par rapport à la réalité intérieure et véritable suite d'images de contes de fées. La radio ne débite-t-elle pas sans cesse des nouvelles plus étonnantes encore que les récits féeriques ?

Parfois, des méditants abandonnent momentanément leurs activités mentales et corporelles et demeurent en transe *(samadhi)*. Swedenborg, Ananda Moyée et sainte Thérèse d'Avila ont connu de tels états. Or, les contes de fées soignent cette peine de l'âme qui répugne à la vie. C'est le cas de la Belle au Bois Dormant et de Blanche-Neige qui, endormies, ne se réveilleront qu'avec le baiser du chevalier.

La transe n'est guère possible tant que l'inconscient est chargé de tendances latentes qui, sous forme d'attachements et de problèmes, obligent le moi à vaquer à ses préoccupations. Mais lorsque cette obligation manque, il arrive que l'individualité ne soit plus motivée et préfère rester « endormie » comme les héroïnes des contes. Pourtant, elle a besoin d'être stimulée si elle veut accomplir sa mission sur terre. L'exemple du baiser du prince réveillant la demoiselle démontre une des formes d'action des contes sur ce point : le méditant embrassant l'Âme, le mystique perdu dans le cœur, l'individu épris du parfum du sommeil profond finissent par découvrir et libérer un flot de douceur et d'affection qui les ramène vers l'action et vers les hommes.

La quête de l'inconscient

L'histoire des contes se dénoue souvent entre trois personnages : une princesse-vierge, un prince-héros, un dragon-épreuve, trilogie présente au cours du drame vécu par chaque candidat à la vie spirituelle. Ils représentent, en effet, l'Âme (la princesse), la faculté de discernement (le héros) et le mal (le dragon). Or, les contes proclament que la fille unique du roi, dernière vierge du royaume, va mourir, offerte en sacrifice au dragon qui, sous peine de ravager le pays, exige chaque année une jeune fille. Nous sommes ici en présence de la fatalité par laquelle l'Âme succombe aux forces sombres de l'inconscient qu'elle doit connaître pour traiter avec le dragon ; mais comment y parvenir en restant indemne de toute contamination et de toute perversité ? Voilà toute la problématique de l'incarnation.

Le dragon habite parfois au sommet d'une montagne [1], ce qui souligne puissamment que plus l'initié « monte » vers Dieu, et plus fort est le danger de tomber, d'utiliser égoïstement ses connaissances et ses pouvoirs. De nombreux chevaliers ont tenté de tuer le dragon mais y ont laissé leur vie, car il est malaisé de côtoyer l'Ombre et de garder intactes sa foi et son âme. Pourtant, le roi a promis sa fille, ainsi que son royaume, à celui qui vaincra le vieux dragon. Mais seul le discernement, aiguisé à l'extrême, telle une épée, saurait percer les ténèbres et délivrer l'Âme.

Parfois, une chapelle est située sur la montagne. Sur son autel sont posées trois coupes portant l'inscription : « Celui qui boira le contenu de ces coupes jusqu'à la dernière goutte deviendra l'homme le plus fort du monde et saura brandir l'épée enterrée devant la porte. » La chapelle est le lieu de l'initiation, qu'il faut d'abord mériter en gravissant la montagne : cette voie n'est pas pour les paresseux et les faibles. Le sacrifice s'opère sur l'autel, d'où la place des trois coupes, symbole des trois cavités en l'homme : la tête, le cœur et le ventre. Or, ces parties du corps sont toujours pleines comme les calices et encombrées de soucis, d'angoisses, de désirs. Lorsqu'elles ont été totalement vidées, l'Intelligence supérieure peut enfin s'y manifester. Alors l'homme, devenu fort de la

1. *Ibid., Les Deux Frères.*

présence du Soi, sait manier le discernement (l'épée), arme indispensable pour affronter l'inconscient (le dragon). Avec cette lucidité claire et pénétrante, le héros protège l'Âme quand elle intègre le monde matériel et subalterne (il enferme la princesse dans la chapelle pendant sa lutte avec le dragon).

Le dragon veut brûler le héros du feu de ses gueules (danger d'être écorché par les « charbons ardents » de l'inconscient) et se précipite pour le dévorer. Le combattant, plus vif encore, tranche les sept têtes du monstre. Les transformations de l'instinct en intuition — perception libre et discernement rapide — permettent à l'adepte de suivre attentivement les moindres mouvements conscients et inconscients, les moindres apparitions du désir, de la perversité, du mensonge. A ce prix le méditant connaît son ombre, épure son inconscient, tue le dragon, affranchit son Âme, sauve la princesse.

Il advient, après cette première victoire, que le héros, épuisé, s'endorme. Surgit alors l'usurpateur qui l'assassine, remporte la princesse et se présente comme le vainqueur du dragon. Ces événements renferment une belle sagesse et avertissent le disciple qu'il ne doit pas rester sur un acquis, ni relâcher sa vigilance, ni croire que le but est atteint. C'est quand tout sourit que le danger est le plus grand, qu'on risque de commettre l'erreur, car l'agréable endort et baisse le seuil de l'attention. Alors les trois calices se remplissent à nouveau et le moi, l'usurpateur, remplace le discernement et vole l'Âme. Le chagrin qui en découle vient en guise de leçon : ne pas attendre les malheurs pour être vigilant.

Ces histoires foisonnent de détails apparemment insignifiants que l'on pourrait négliger si l'on ne pressentait pas leur importance intime et souterraine. En effet, pendant que le héros dort et se trouve, sans le savoir, en danger de mort, un petit événement se produit qui aurait pu tirer l'homme de son sommeil *si seulement il avait été attentif*. Ce peut être une abeille qui se pose sur son nez, une mouche qui bourdonne, un pigeon qui roucoule, ou encore des baies qui tombent. Le chevalier entend vaguement les bruits (et le narrateur y insistera), se retourne et se remet à ronfler de bon cœur ou, mieux encore, reprend ses rêvasseries ensommeillées. La saveur exquise de tels incidents cache tout un univers, comme celle de la madeleine de Proust. Le dormeur n'attache pas d'intérêt aux bourdonnements de l'insecte et aux tintements des cloches, et choisit de déambuler dans ses vagues fantasmes. *Le* monde importe moins que *son* monde, ce qui provoque la défaillance de sa lucidité. Il pourrait encore s'amender et échapper aux menaces à condition d'écouter les signes et les messages de la nature (avec l'aide des élémentaux). Hélas, il ne le fait pas et oublie que tout vient de Dieu, que chaque événement, si minime soit-il, incarne la grâce divine. La leçon que doit assimiler le candidat est claire : en tout lieu, appliquer son attention aux incidents les plus infimes. Il pourra ainsi stabiliser la victoire remportée, tout en l'approfondissant et en l'élargissant.

Un autre aspect fort instructif des contes de fées est implicite dans les situations où le cadet (la petite fille) a pour tâche de vider un étang avec une cuillère percée d'un trou, puis de ranger les poissons par espèce et par taille [1]. Parfois, il lui suffit d'observer par un anneau d'or pour déclencher l'évaporation des eaux — chose impossible, sauf pour des personnages comme le Petit Poucet, dotés de ce regard si intense et pénétrant propre aux jeunes enfants spectateurs. Œil invisible et unique — trou dans la cuillère, pertuis vide de l'anneau, un rien, un espace, presque une absence —, doux et simple comme un bébé, mais avec quel pouvoir transformateur ! Le témoin provoque dans le psychisme les mêmes effets que ceux que le soleil produit sur la brume. Celle-ci, couche par couche, s'élève et se dissipe. De même, sous l'action de la lucidité, le contenu psychique « monte » à la surface de la conscience. Une fois la brume clarifiée, on voit, comme au fond de soi, dans le lac qu'elle obscurcissait, poissons et plantes, ondes et frémissements. Vider un étang avec une cuillère percée, ou en regardant par une bague, revient à purger l'inconscient, ce qui aboutit à un ordre supérieur de la psyché, tels les poissons rangés selon leurs espèce et taille.

L'instant crucial de la Libération finale se consomme parfois dans l'épreuve du feu. Pour

1. *Ibid., Le Tambour.*

émanciper la princesse et s'unir à elle, le héros doit sauter parmi les flammes où grilleront les dernières impuretés de son être. Saut définitif dans l'inconnu, sans retour, qui attend le pèlerin à la fin de sa route. Il en sort transfiguré, mais vivant, plus encore qu'avant, car l'essentiel n'est pas combustible.

Considérons à présent le cas du roi qui, indigné de devoir supporter un gendre d'origine populaire, lui ordonne de chercher en enfer trois cheveux d'or de la tête du diable[1]. « Je n'ai pas peur », affirme le beau-fils : il possède en effet les qualités qui permettent de démasquer le caractère amoral et effrayant de l'inconscient sans subir de déséquilibre. Tout candidat à l'initiation doit remplir cette condition avant d'entreprendre sa quête, et une bonne partie de son entraînement y est consacrée. Le prince cherche la racine du mal au fond de lui-même, seul moyen de s'en affranchir, d'où la deuxième qualité requise : l'humilité. Mais cette vertu, l'enfant, fils de pauvre meunier à l'âme noble et sage, l'a cultivée dès sa naissance.

En chemin, le héros ne peut accéder aux mondes souterrains et en ressortir qu'en promettant à trois personnages d'apporter une réponse aux énigmes qu'ils lui soumettent. La sentinelle de la première ville lui demande pourquoi la fontaine du marché, qui prodiguait du vin, s'est tarie et ne donne même pas d'eau. Le gardien de la deuxième ville veut

1. *Ibid., Le Diable aux trois cheveux d'or.*

112

connaître la cause de la stérilité d'un arbre qui, d'ordinaire, produit des pommes d'or. Puis le gendre du roi arrive près d'une rivière qu'il souhaite traverser. Le passeur, en échange de son service, aimerait comprendre pourquoi on l'oblige à ramer éternellement d'une rive à l'autre sans jamais être relayé.

Ces trois énigmes forcent le prince à développer les attributs indispensables au succès de son aventure et à déchiffrer les mystères de son moi. La fontaine ne distribue plus de vin à cause d'un crapaud caché sous un de ses galets. Il s'agit de le trouver, puis de le tuer. Alors la source coulera de nouveau. Le crapaud (la verge) et le vin (les règles) évoquent des questions sexuelles. Plus largement, le vin inaugure la communion et l'amour, puisqu'on l'absorbe à la messe, aux mariages, lors des rites tantriques et païens. La fontaine desséchée marque la mort de l'amour et de la communion. L'excès sexuel (le crapaud) avait épuisé l'énergie vitale qui, drainée exagérément vers le bas, laisse le cœur vide de tout sentiment et de tout intérêt pour l'aspect subtil d'autrui. Ainsi le quêteur est-il invité à maîtriser son énergie afin de la retenir en son cœur et d'éviter sa dissipation dans une sexualité anarchique.

L'arbre ne produit plus de pommes d'or parce qu'une souris ronge ses racines. Si on la tue, les fruits magiques réapparaîtront. La pensée (la souris) corrode et dilapide la vitalité mentale, détruit l'unité et l'intégrité (la pomme d'or). Lorsque la pensée outrepasse ses attributions essentielles et

113

nécessaires (gérer la vie pratique), elle instaure la division dans le monde. Le héros n'accède à l'inconscient, ne poursuit sa voie qu'en domptant son mental, dont l'agitation (la souris au grenier) crée une barrière entre la conscience du moi et celle des profondeurs psychiques.

Le passeur ignore comment stopper ses trajets incessants sur la rivière. Il ne songe guère qu'il lui suffit de déposer les rames dans les mains d'un passager qui, après une surveillance de trois jours, sera contraint à le remplacer. Le prince doit l'éclairer et, simultanément, résoudre sa propre difficulté. Ce batelier pose le problème fondamental de l'homme : l'identification au corps avec son cortège d'aller et retour interminables entre la naissance et la mort (les deux berges du fleuve), l'engrenage de la réincarnation. Il accuse notre soumission aux habitudes et aux actions stéréotypées, obstacles à la liberté. Il satirise le monsieur qui virevolte dans sa tête et s'y enferme. Il soulève la question principale et pousse à découvrir la réponse, la force qui brisera les chaînes de la métempsycose, des actes mécaniques et de l'ensorcellement mental. Le passeur doit remettre les rames à un passager : ne plus s'agripper à sa personne, mais permettre à l'Impersonnel d'œuvrer ; cesser de s'impliquer dans la ronde ; surveiller le nouveau passeur pendant trois jours, être totalement conscient de soi. Tout cela, le candidat ne peut le négliger s'il veut triompher du diable en lui volant trois cheveux, évocation des trois épreuves.

Les individus que le pèlerin rencontre sur un chemin servent de gardiens du seuil, barrant l'accès au suprasensible tant que les trois conditions ne seront pas remplies.

Au moment où le gendre du roi arrache les cheveux de la tête du diable, celui-ci révèle les solutions aux énigmes. Les puissances du mal, apprivoisées et sublimées, cessent de diviser et se transforment en aide pour celui qui maîtrise son énergie, sa pensée et ses actions. Dans les contes chinois, le sage, un peu déchiqueté sans doute, se présente à la porte du ciel chevauchant un tigre. N'est-ce pas le sens de l'exploit du dompteur qui fourre sa tête dans la gueule du lion ?

En guise de reconnaissance pour la résolution des énigmes, les gardiens offrent au prince trois ânes chargés d'or. Il ressort vainqueur des enfers, son esprit, son cœur et sa volonté unifiés et purifiés (les trois lots d'or), méritant la princesse (l'intégration) que le roi (doctrine étriquée) voulait lui dérober. Et... « ils vécurent dans le bonheur jusqu'à la fin de leurs jours ».

Comment les contes préviennent dangers et difficultés

Les pièges et dangers de la quête sont souvent représentés par une chambre secrète dont l'entrée est interdite[1]. Si le héros ne domine pas sa curiosité et s'introduit dans le lieu défendu, il tombera en syncope et s'exposera à de graves périls. L'évanouissement survient différemment selon les contes et le sexe du personnage : à la vue du portrait d'une belle princesse vêtue d'or (pour le garçon), par des fuseaux ou tout autre objet pointu qui pique le doigt (pour la fille). Il avertit surtout du risque encouru par le héros de perdre contact avec son corps et de s'enliser dans l'indifférence ou l'apathie s'il pénètre prématurément dans les mondes spirituels en ouvrant imprudemment la porte pour contempler le portrait. Le phénomène de l'évanouissement évoque également un autre danger de la voie initiatique : la dépersonnalisation[2].

Le prince (ou la fille), impatient et passionné, éprouve une attirance irrésistible pour le mystère de la chambre et ne connaît pas de répit tant que le secret lui échappe. En outre, il est convaincu que s'il renonçait à cette entreprise, sa perte serait encore plus sûre. Lame à double tranchant : d'un côté, le courage, la détermination et la soif de Dieu doivent l'emporter sur la peur des dangers liés à la quête, mais de l'autre, l'ardeur, incontrôlée, joue de mauvais tours, dégénère en obsession, en fanatisme, provoque des tensions et une précipitation intempestives. Lever hâtivement le voile qui

1. *Ibid., Le Fidèle Jean.*
2. Dennis Boyes, *Évolution intérieure et problèmes psychologiques,* Éd. Dervy-Livres.

couvre la face de la princesse, se trouver soudain impliqué dans une expérience spirituelle trop intense, surtout si l'on porte en soi des tendances morbides, peut réellement induire un état comateux semblable à la mort. (Fut-ce le destin de Blanche-Neige et de ceux qui, apparemment morts, furent ressuscités par le Christ ?) Néanmoins, nous apprenons qu'à tenter sa chance, la menace du péril est moins néfaste — et pas du même genre — que celle subie par le trouillard tiède accroché à son confort quotidien. Les hindous disent : « Ce n'est pas parce que la femme du voisin est décédée que je ne dois pas me marier. »

Le lieu caché renvoie à une spiritualité vivante, non contaminée par des dogmes rigides, des croyances sclérosées ou des rites stériles. Se soumettre à ces conditionnements procure une certaine tranquillité — dont la fadeur est supportable seulement pour les estropiés, les mièvres et les peureux —, endormissement plus nocif à l'homme intérieur que le chaos et les tensions naissant de la ferveur. Celui qui, par goût, crainte ou paresse, abandonne sa quête, risque de s'égarer et de retarder indéfiniment son évolution. Une femme, princesse ou concierge, peut pardonner à l'homme trop entreprenant, mais comment saurait-elle gracier celui qui, par peur ou faiblesse, renonce à la conquête ?

Le héros frise la mort pour obtenir la belle. Sa santé passe au second plan lorsqu'il s'agit de l'essentiel. Rien ne l'arrête. Voyage au centre de la terre, descente au fond d'un puits, chats géants et

117

dragons ailés, tout est affronté par le vaillant chevalier. Tout prépare l'enfant à l'exploration de lui-même. Lorsque enfin le prince délivre la demoiselle de sa prison souterraine, le baiser de récompense le fait s'évanouir. La perte de connaissance survient ici au moment où l'adepte s'unit au divin. Au summum de l'expérience spirituelle, le moi disparaît au profit de l'Âme (la princesse).

À un autre niveau, l'évanouissement évoque l'assoupissement, l'incapacité de demeurer vigilant en l'absence de toute stimulation, obstacles rencontrés pendant la méditation lorsque les autres difficultés ont été résolues (agitation mentale, pulsions inconscientes, etc.). Par conséquent, le quêteur jouit à peine de la présence de la princesse, aussitôt enlevée par une main obscure — géant usurpateur ou satyre.

D'autres récits[1] assurent au héros la réussite à toutes les épreuves, lui permettant de sauver la demoiselle et de l'emmener ; mais, à cause d'une maladresse, un voile tombe sur ses yeux et il ne reconnaît plus sa bien-aimée. Souvent, cet oubli s'abat sur lui parce qu'il retourne seul chez ses parents et ne respecte pas les consignes de l'héroïne (« Sois fidèle et que personne d'autre ne t'embrasse sur ta joue gauche », ou : « Surtout ne pose pas ton baiser sur la joue droite de tes proches », ou encore : « Tu ne devras pas prononcer plus de trois mots. »). Ce faisant, il renie l'Âme

1. Grimm, *Contes, Le Tambour.*

118

en revenant vers ses attaches passées et en confondant liens sanguins et affinités spirituelles : il n'a pas à demander l'autorisation parentale pour se marier, car il s'agit d'un mariage échappant aux critères de filiation et de classe sociale. L'histoire raconte que le garçon ne reconnaît pas la princesse lorsqu'elle passe devant sa fenêtre, ce qui évoque un état bizarre vécu par le mutant : parvenu à l'expérience de vacuité, il y projette la sensation de l'absence de l'objet qui, auparavant, l'emplissait, et n'arrive pas ainsi à identifier la présence subtile du Soi. C'est comme d'entrer dans un salon familier d'où un tableau a disparu : on sent un manque sans pouvoir l'identifier. Obnubilé par cette absence, l'esprit ne voit pas l'espace laissé par l'objet.

Puisque le héros ignore la princesse, sa seule ressource consiste à l'approcher pendant son sommeil, atteignant ainsi les niveaux profonds de sa psyché. Contre trois nuits à ses côtés, elle troque ses robes d'or, d'argent et d'étoiles avec la nouvelle fiancée qui, pour les posséder, n'hésite pas à livrer le prince aux charmes d'une rivale, prenant cependant le soin de verser un somnifère dans son vin. Sa dimension intérieure, loin de la noblesse d'âme de la vraie fiancée, ne peut prétendre combler le prince, ni l'entretenir dans sa dignité spirituelle.

De précieux renseignements sur l'itinéraire du pèlerin en quête de la paix suprême nous sont fournis par les contes qui retracent l'histoire d'une pelote de fil dotée du pouvoir magique de se dérouler toute seule lorsqu'on la jette devant soi,

119

ou de tresses de cheveux qui s'allongent, ou encore d'un chemin tracé en l'air par un vol d'oiseau[1]. En général, ces objets, pareils au fil d'Ariane, marquent un parcours allant d'une situation passée (la maison familiale), à travers un endroit effrayant, inconnu, dangereux (la forêt), vers une position nouvelle (le mariage, le château). Il ne s'agit pas d'un sentier terrestre mais d'un chemin qui, nullement dessiné d'avance et n'existant pas en dehors de l'itinérant lui-même, se déploie au fur et à mesure que le voyageur progresse. La voie qui peut être tracée, dit Lao Tseu, n'est pas la voie[2]. Elle disparaît aussitôt comme une lettre écrite dans l'eau (voyage mythique à dos de cygne). Voilà pourquoi tous les repères s'effacent sur ce trajet aquatique, aérien ou forestier qui ne saurait être apprivoisé ou officialisé, et si l'aventurier tente de baliser la route, comme Jeannot avec ses miettes de pain[3], un événement fait échouer les prévisions.

Projeter hors de soi, par besoin de sécurité, un chemin ponctué de poteaux, est fâcheux, car on devient la proie d'une structure, d'un système, du fanatisme. Les contes s'appuient non pas sur une institution, une idéologie ou un fait historique, mais sur l'aspiration fondamentale de l'homme vers son état originel. Qui dit chemin dit conditionnement et suppose un point d'arrivée futur. Mais tout mouvement psychologique obéissant à un tel

1. *Ibid.*, *Les Six Cygnes* (pelote de fil) ; *Jeannot et Margot* (vol d'oiseau).
2. *Le Tao-tö king*, Éd. Dervy-Livres.
3. Grimm, *Contes*, *Jeannot et Margot*.

devenir éloigne le chercheur de lui-même. De nombreux prétendants s'égarent dans le labyrinthe ; seul le héros, grâce à la pelote magique ou à un vol d'oiseau, parvient à la clairière paisible au centre du dédale. Les efforts du mutant s'avéreront infructueux si les motivations et pulsions qui animent son moi lui échappent. Il devra, comme Jeannot qui passe d'un sentier parsemé de cailloux à un autre repéré grâce aux miettes de pain, puis à un troisième, invisible, dessiné dans l'espace par un oiseau, renoncer à son besoin d'assises réconfortantes et de directions tangibles.

Nous, chrétiens, entendons trop facilement dans les paroles du Christ : « Je suis la Porte » une exhortation à l'imitation et à la soumission au dogme. De là à l'Inquisition, le passage fut court : puisque Jésus est la Porte, point de salut en dehors de *son Église*. A vouloir tracer une voie, on confond l'esprit avec la lettre. Il n'y a pas de voie ; il y a seulement présence, silence, contemplation, action. L'expression « Je suis la Porte » est pourtant claire : la porte est le « je suis », moi. Connaissez votre « je suis » et vous découvrirez Dieu, dit le sage. Car, selon l'Ancien Testament, Dieu lui-même se définit comme « je suis le je suis ».

Hâtons-nous d'ajouter qu'il ne s'agit pas de prendre son ego pour Dieu. Ce serait tomber dans le piège de Lucifer, danger constant de la quête intérieure. A ce propos, considérons le cas, fréquemment rencontré dans les contes, de la demoiselle chargée de retrouver et de désenchanter ses six frères que la sorcière a transformés en cygnes,

121

pigeons ou corbeaux [1]. Pendant son ascension spirituelle, la jeune fille a succombé à la tentation de se volatiliser, de se désincarner, de se laisser séduire par la beauté des entités subtiles et lucifériennes (les cygnes). L'astralité (le sentir, l'émotionnel, le désir, etc. [2]). que nous partageons avec les animaux n'a une dimension humaine qu'associée au corps d'homme. Toutefois, si elle en reste séparée de manière pathologique ou accidentelle (hystérie, drogue, expériences parapsychologiques ratées), elle peut reprendre ses caractéristiques animales, d'où les visions de bêtes dont témoignent les psychopathes et de monstres hideux qui attendent le voyageur astral. De même, la pensée, si elle s'élance trop vers l'abstraction, devient froide et inhumaine. Voilà pourquoi les six frères sont transformés en oiseaux, êtres aériens et insaisissables, victimes du danger luciférien.

La fille cherche le moyen de ramener ses frères sur terre et donc de les débarrasser de leur enveloppe de cygne. Elle doit livrer à l'humanité ce qu'elle connaît et reçoit par ses élans mystiques hors du monde. Revenir à l'homme afin que l'essentiel, l'amour, ne dégénère pas en indifférence stérile et nébuleuse. Reprendre possession du corps pour éviter qu'il ne soit habité d'esprits porteurs de lumières douteuses et de flatteries pernicieuses. Se volatiliser en pur esprit ne suffit

---

1. *Ibid., Les Six Cygnes.*
2. Pour l'étude des corps subtils, nous renvoyons le lecteur à nos ouvrages précédents : *Yoga et ésotérisme* et *Yoga de la femme enceinte*, Éd. Épi.

pas ; on exige de l'initié qu'il mette sa science au service de l'humanité. Le trébuchet luciférien, incarné par la sorcière, conduit l'homme à chercher Dieu égoïstement, orgueilleusement.

L'héroïne ne réussira l'entreprise qu'en s'abstenant de parler ou de rire pendant six ans. Comme Parsifal et Samson, elle entre dans une période de mutisme, non seulement par abnégation, mais pour vider son âme de toute tendance suspecte. Elle cesse de rire car son moi, avec sa gamme d'expressions et de résistances, subit de profondes mutations. Passage dans le désert, pays de nulle part, sacrifice de soi sont réservés à la jeune femme qui veut racheter la faute responsable de la malédiction de ses frères. Devenue l'épouse d'un roi, sa belle-mère lui ôte ses trois bébés, lui barbouille la bouche de sang et la taxe d'ogresse. Son vœu de silence l'empêche de se défendre et la conduit au bûcher, immolation suprême. Mais au moment où les flammes commencent à lécher ses pieds, voici que les six années d'abstinence s'achèvent, les cygnes atterrissent et reprennent leur forme humaine. Le malentendu est dissipé. Le temps de silence et de renoncement a libéré l'héroïne de la séduction des esprits subtils, dont le rôle est d'empêcher les personnes insuffisamment préparées d'avancer. Cette ascèse aboutit à l'Illumination, au mariage avec le roi.

Un autre point épineux est éclairci par les contes. Pourquoi le héros se sent-il insatisfait de son métier et a-t-il envie de devenir chasseur ? Il semble qu'à la suite du changement psychologique dont il a été l'objet, il cherche une activité plus adaptée à sa nouvelle personnalité. Ainsi pourrait-il mieux exprimer ses potentialités dans sa vie quotidienne. Transformé grâce aux épreuves précédentes, mal à l'aise dans son ancienne situation, il ressent un décalage entre sa nécessité intérieure et son insertion sociale. Le métier de chasseur, par la solitude, la tranquillité, l'indépendance, la vie saine et l'ambiance méditative qu'il offre, lui permettrait de réaliser extérieurement les nouvelles valeurs spirituelles qui le bouleversent — non pas que certaines activités s'opposent à l'évolution psychologique, car c'est à travers ses actions antérieures que le sujet a élaboré la possibilité du changement présent. Chacun doit trouver la voie et le travail qui l'aideraient à concrétiser au maximum sa nature essentielle.

Les contes de fées le proclament haut et fort : la métamorphose intérieure sera jonchée de perturbations innombrables (professionnelles, relationnelles, idéologiques) qui empêcheront l'adepte de se figer dans ses concepts ou de s'accrocher au passé. Autant de malaises qui soulignent l'actualité des contes de fées, tels les problèmes économiques qui coincent les gens dans des impasses de plus en plus étrangères à leurs besoins et aspirations. La peur contraint au système, on le sait : il faut manger. Si tout le monde se faisait « chasseur », l'autonomie détruirait entièrement la superstructure de l'économie politique et le marché de l'emploi s'écroulerait dans un grand fracas.

La pression ne provient pas uniquement du système, elle habite l'individu lui-même. En lâchant structures et normes vétustes, trouvera-t-il mieux pour les remplacer ? « Que deviendrais-je dans le vaste monde ? » « Il [le héros] fut renvoyé de la maison et obligé d'aller à l'aventure. » « Surtout, ne te rends pas dans cette forêt, personne n'en sort vivant. » « De nombreux chevaliers sont morts dans ce château, ne vous dirigez pas vers son portail. » Craintes et « bons conseils » prolifèrent, entravant l'alliance de la hardiesse et de la prudence. Le héros, lui, décide de vivre selon sa nécessité intérieure, même si cela l'isole au sein de l'immense forêt. Pareillement, l'homme authentique n'hésite pas à organiser sa vie selon son sentiment profond, sacrifiant jusqu'à sa sécurité matérielle et son confort psychologique. Les artistes nous en fournissent de nombreux exemples.

Dans des contes comme *L'Oiseau d'or* de Grimm, le cadet, laissant derrière lui ses frères qui optent pour la maison du plaisir, recherche l'oiseau d'or demandé par son père. Sa bienveillance lui apporte le secours d'un renard, qui le conseille à bon escient : « *Ne regarde pas en arrière* mais *avance en ligne droite* jusqu'au château, devant lequel dorment des soldats. *Ne leur prête aucune attention* mais entre *sans hésiter* et *traverse toutes les pièces.* Tu arriveras au lieu où l'oiseau d'or se repose dans une volière en bois. Surtout ne le mets pas dans la cage en or suspendue à côté uniquement pour l'apparat, sinon les événements se retourneront contre toi. »

Les premiers avertissements du renard se réfèrent

à l'attitude que l'adepte doit cultiver : renoncer aux souvenirs (ne pas regarder derrière soi), éviter la dispersion, les préoccupations inutiles, et avancer droit vers le château, construit, pour la logique seulement, de briques et de mortier. Mais l'inconscient traduit : c'est le château de l'Âme. L'Âme — l'oiseau d'or, difficile à capturer —, par sa présence intensément paisible, réduit au silence les désirs et pensées de celui qui s'en approche. Voilà pourquoi les soldats dorment à l'extérieur du château. Le héros doit entrer *sans tergiverser* afin que la réaction de peur, enfouie en l'homme depuis des millénaires, ne puisse se réaffirmer ou faire hésiter l'esprit. Il doit alors « traverser toutes les chambres », ne pas s'attarder aux visions, lumières, extases ou autres émanations de l'Âme, sous peine de stagner et de manquer le but final.

Le candidat, pourtant bien conseillé par le renard, cède à la tentation de transférer dans la cage en or l'oiseau qui, aussitôt, pousse un cri strident et *réveille les soldats* qui jettent le prince en prison. Ayant libéré l'oiseau d'or (l'Âme) de la volière (les restrictions du moi), il l'emprisonne de nouveau dans une cage d'or (l'ego rendu plus subtil et lumineux par la méditation n'en est pas moins une prison, plus difficilement détectable parce que embellie). Le réveil des soldats (pensées) annule sa tentative de libération.

Le roi du château accepte de gracier le prince et de lui remettre l'oiseau merveilleux, mais exige en échange le cheval d'or qui court plus vite que le vent. L'adepte ne peut surmonter les assauts de son moi et ne parvient à immobiliser son esprit qu'à l'aide d'une autre faculté plus rapide que le vent : le cheval magique, symbole de l'intuition instantanée, de la perception immédiate (le temps n'a pas l'occasion d'intervenir). Ces facultés constituent l'intelligence supérieure d'un esprit méditatif. Or, le héros, dont la vigilance est insuffisante, n'est pas prêt au saut définitif.

Malgré les instructions du renard, le prince commet quatre fois la même erreur. Le disciple oublie vite les bons conseils de son maître et pense réussir mieux en agissant à sa guise. Lorsque enfin il surmonte les épreuves et ramène l'oiseau d'or avec la princesse, le renard demande en récompense d'être tué, puis découpé. De même, l'initié, au stade de l'Illumination, doit « tuer » sa soumission aux lois et conventions élaborées par la pensée, transformer l'instinct et la ruse de l'animal en intuition.

Hélas, le héros manque de courage pour exaucer le souhait du renard. Trop sentimental, encore empêtré dans des principes moraux étroits, il s'obstine, de surcroît, à entretenir ses bas penchants. « Fort bien, dit le renard, mais gare à toi, ne t'assieds jamais sur la margelle d'un puits, sinon il t'arrivera malheur. »

Le prince retrouve ses deux frères condamnés à la peine de mort, les secourt puis, *emporté par ses paroles*, s'oublie et se repose sur le bord d'une fontaine. Alors, ses frères le précipitent à l'eau, s'emparent de la demoiselle, du cheval et de l'oiseau d'or, et retournent chez leur père. Ainsi, l'adepte réaffirme son mental et sa volonté (les deux frères) qui étouffent l'Âme (l'oiseau, la princesse) et s'approprient indûment des honneurs.

Mais le cheval ne mange plus ni l'oiseau ne chante et la princesse pleure sans fin : l'intuition décline, la perception s'obscurcit et l'Âme, accablée et récupérée par le moi, s'éteint, se retire derrière le voile, ne dirige plus la personnalité.

Ce danger est lié au piège de la pétrification, très répandu sur la voie spirituelle et différent selon son origine :

1. Pétrification due à la projection de concepts et de moules sur sa propre personne qui, se sentant ainsi encadrée dans des limites toujours définissables et prévisibles, en éprouve une sensation de sécurité.

2. Pétrification due à l'auto-observation structurée en mécanisme de défense pour se protéger contre les éléments indésirables en soi et y appliquant une contrainte en vue de les éliminer ou de les déplacer au-dessous du seuil de la conscience. L'esprit paraît alors calme et pur, mais subit inévitablement un rétrécissement, une fixation rigide.

3. Pétrification due à l'ego qui cristallise la présence du Soi en l'attribuant à ses propres créations et qui fige des états intérieurs en se les appropriant ; endurcissement mental érigé en barrière de défense contre le non-moi qui menace le sentiment que nous avons de notre propre permanence. Ainsi la pensée fabrique un pseudo-Soi,

une partie idéalisée d'elle-même qui est ensuite adorée comme Dieu.

4. Pétrification de l'esprit remplacé par la lettre, du sacré dégradé en idéologie, système, dogme, répétition creuse qui amoindrissent l'intensité vécue, sentie, et réduisent l'action, la prière, les rites et le chant à une habitude étriquée, source de fanatisme et d'intolérance.

Dans les contes, de nombreuses situations préviennent ce piège et, stimulant la perspicacité, favorisent une observation de soi plus équilibrée et plus efficace. En voici quelques exemples caractéristiques :

— Le héros, ou autre personnage, se trouve constamment obligé de changer de direction ou de procédé en raison de ses prévisions inadéquates ou afin de contourner un obstacle, ce qui le maintient disponible et vigilant, évitant ainsi le conditionnement des disciplines doctrinaires.

— Un messager conseille à l'aventurier de ne pas saisir précipitamment l'objet de sa quête (il devra attendre, par exemple, que l'oiseau rare soit endormi) sous peine d'être changé en statue de pierre, ensorcellement qui signifie également que l'on dresse une structure en vérité ultime et ses expériences spirituelles en autorité absolue.

— Le prince, voyant la Belle endormie dans une immobilisation hypnotique, principe féminin glacé, comprend que s'il veut la réveiller, il doit cesser de repousser son anima, de se crisper dans une attitude exclusivement masculine.

Quant au piège des pouvoirs, de la voyance, de

la maîtrise des éléments, etc., et au danger de l'hésitation, ils sont évoqués dans des contes comme *La Cabre d'or*[1] et symbolisés par le trésor dans une grotte, puisque les pierres précieuses manifestent également la puissance matérielle. De nombreux chercheurs découvrent la caverne (le lieu secret au-dedans d'eux-mêmes), mais, éblouis par les joyaux, désirent s'en servir à des fins égoïstes et ainsi s'éloignent du but. Fascinés par le brillant, ils n'aperçoivent pas la gardienne du trésor, la cabre d'or, qui incarne le divin et dont les pouvoirs (joyaux) ne sont qu'un dérivatif probatoire.

La montagne se referme sur ces malheureux, prisonniers du butin convoité et désormais inutile. Pareillement, les pouvoirs psychiques peuvent encercler l'adepte et provoquer sa chute.

La caverne s'ouvre à ceux qui, insatisfaits des plaisirs éphémères et désespérés d'atteindre l'ultime bonheur, frôlent dangereusement la tentation du suicide. Du désert s'élève la soif de liberté qui brise le carcan de l'ignorance et provoque l'Éveil.

Inspiré par l'amour, le héros entre dans la grotte pour délivrer les prisonniers et distribuer le trésor aux nécessiteux sans qu'elle l'emprisonne. Cependant, il ne remarque pas au premier abord la cabre d'or, non pas à cause d'un attachement aux pouvoirs psychiques et aux richesses matérielles, mais parce que la philanthropie ne suffit pas à elle seule

1. *Contes et légendes de Provence.*

130

pour accéder au Soi : intelligence, méditation et vigilance sont également nécessaires. En rentrant chez lui, le héros sombre dans l'amertume et sa femme devine qu'il pense à la cabre d'or. L'amertume, signe précurseur de l'engagement spirituel, pousse l'adepte toujours plus loin dans sa quête jusqu'au point de non-retour. Ni l'argent ni la puissance ni l'amour ne réussissent à calmer son chagrin. Son épouse essaie de le retenir en invoquant le péril encouru à chercher obstinément la gardienne du trésor. De même, l'adepte se sent tiraillé entre l'endormissement doux des agréments de la vie conjugale et l'appel qui le nargue sans répit au fond de son être. Il voudrait s'attacher au monde, et pourtant, la solitude l'attire. Or, pour le héros du conte, la balance va pencher en faveur de la quête. Il part, mais les ruisseaux des montagnes lui murmurent la tristesse de son épouse et lui suggèrent de la rejoindre dans la vallée. Interminable déchirement générateur de doutes et de conflits.

Le candidat n'a pas réglé tous ses problèmes, si bien que, saisissant les cornes de la cabre d'or, ses mains sont brûlées et doivent relâcher leur proie. La brûlure relève d'un excès de passion et d'émotion qui l'assaille au moment où il contemple la cabre et espère la posséder. De même, si l'homme s'exalte lorsque le divin commence à se dévoiler à lui, son esprit peut s'embrouiller et tout faire échouer. Il lui est exigé un « lâcher-prise » complet, et même son désir de Dieu devra se calmer et se purifier. Si le héros parvenait à cette maîtrise, alors la cabre d'or consentirait à l'accompagner et la présence du Soi ne le quitterait plus, même au sein des occupations quotidiennes.

Cette victoire, notre héros ne la remporte pas car, contrairement aux contes de fées, les récits de Provence s'achèvent parfois sur l'échec pour marquer la leçon de l'erreur. La chèvre exige trois baisers pour trouver ainsi le repos éternel. Embrassant la bête, l'adepte apprend à regarder de face, sans résistance, ses penchants et désirs occultés. Il gagne la sérénité quand tous les résidus émotionnels ont été extirpés. Au premier baiser, la chèvre se transforme en un bouc puant : l'œil du disciple pénètre plus loin dans l'inconscient et découvre un spectacle inattendu. Au moment où il se penche pour le deuxième baiser, la chèvre est métamorphosée en un serpent hideux : la connaissance de soi s'accomplit douloureusement. Le reptile devient ensuite une belle jeune fille, âme dépouillée de ses vestiges bestiaux. Il reste le dernier baiser, mais juste avant de joindre ses lèvres à celles de la princesse, le héros se souvient de sa femme et recule devant l'acte. Aussitôt la demoiselle est remplacée par la cabre d'or « rouge sous les feux de la lune ». L'attachement au passé, aux conventions, l'enlisement dans les jeux de la mémoire font avorter l'union.

Après ce baiser manqué, la cabre bondit au sommet d'une haute colonne et y demeure dans un perpétuel silence : l'exubérance des images mentales éloigne du divin.

Trop avancé pour retourner aux plaisirs sensuels, mais pas assez pour s'établir fermement dans le Soi, le héros, indécis, oscille entre ces deux extrêmes sans jamais s'y engager complètement.

Le rôle du mal dans les contes de fées

Existe-t-il des paroles plus tragiques que celles du Christ : « Il y a beaucoup d'appelés, mais peu d'élus » ? L'homme jeune, qui a reçu de bonnes vibrations avant de naître, est plein d'élans et d'aspirations ; puis les tentations le séduisent ou les difficultés innombrables et apparemment insurmontables finissent par l'user et le désespérer, si bien qu'il relâche graduellement ses efforts et s'abandonne à la facilité. Les contes de fées fourmillent de tels cas :

— Le frère aîné part à la recherche des pommes d'or qui sauveraient la vie du roi, mais il succombe aux cris de joie émanant d'une auberge.

— Trois frères arrivent à un carrefour où un panneau porte les indications suivantes : « Qui prend la route de gauche atteindra le bonheur » et : « Qui suivra le chemin de droite se perdra et ne reviendra jamais. » Les aînés optent pour le bonheur facile et laissent au cadet le sentier du non-retour.

Cependant, ces échecs et ces déchéances dissimulent une sagesse secrète, car on ne se perd pas si facilement ! On peut s'enfoncer dans une grotte, mais on reste néanmoins dans l'espace ; un poisson peut nager loin, mais il ne quitte pas l'eau : notre liberté est illusoire. Chacun se trouve subordonné à son milieu comme la pensée aux mots. L'extrême éloignement rejoint le point de départ ; ce n'est pas la route qui importe, mais la manière d'y marcher ; la vie impose ce que nous n'acceptons pas volontiers. Si, dans les contes, les aînés sont malheureux au fond de leur égarement, c'est aussi parce qu'ils sont conscients de leur condition, d'un vide qu'aucun objet ne saurait combler. La défaillance est inscrite dans les limites mêmes de l'excitation nerveuse qui, ajoutées à l'épuisement total des jouissances, coincent le pécheur dans une impasse de plus en plus restrictive : de même que l'on voit rétrécir la gamme du choix dans un domaine quelconque suffisamment approfondi (un connaisseur en peinture élimine derechef les œuvres de qualité douteuse), de même les possibilités du plaisir diminuent dans la mesure où l'on quitte les niveaux communs de jouissance pour en expérimenter les moyens extrêmes. Ainsi, ceux qui ont le courage d'exploiter au maximum leur recherche de volupté finissent par en épuiser les formes habituelles et voient s'amoindrir l'étendue de leurs stimulations. Comme l'agriculteur qui, constatant le dépérissement de ses terres par excès de traitement chimique et se trouvant obligé d'ajouter chaque année davantage d'engrais de synthèse pour obtenir pourtant des cultures décroissantes, n'a finalement d'autre choix que d'adopter la méthode biologique de compostage, de même l'hédoniste, consumant tous les ressorts du plaisir, contraint d'aiguiser de plus en plus les instruments de sa sensualité pour éprouver un bonheur moindre, et sous peine d'y perdre la santé, est amené, malgré lui, à une vie plus équilibrée. C'est la voie du pécheur qui, souffrant d'abord parce que le plaisir ne lui suffit plus, aboutit au détachement et, peut-être, à la sainteté.

Si donc les flocons de neige tombant par milliers et fondant aussitôt n'ont pas de sens, en dépit de l'apparente absurdité des choses, on peut affirmer que la déchéance d'un homme est riche de signification. L'eau a beau descendre, elle n'en sera pas moins aspirée par le ciel. Par la chute, l'impénitent perd au moins l'arsenal de ses idéaux et se précipite dans le réel. Ses stupides prétentions spirituelles sont anéanties, le destituant de sa soi-disant mission divine. Empêtré dans la boue, il apprend la simplicité. C'est une voie initiatique à l'envers, agencée par le truchement du mal. Voilà pourquoi, lorsque Adam croqua la pomme, l'ange brandit l'épée de feu et le chassa du paradis. Nu, aux prises avec la réalité terrestre, il est alors livré au monde matériel qui éclipse son innocence première, inconsciente et extra-sensorielle, le temps de la retrouver consciemment à travers le devenir, de reconquérir l'unité après l'éparpillement. Toute l'histoire humaine n'est qu'une crise de rage entre ces deux états. Cela ne doit pas étonner, car si le héros des contes apprivoise les forces ténébreuses et les utilise pour accomplir sa tâche, pourquoi ses frères, de moindre moralité, ne le feraient-ils pas ?

Le cadet, s'arrogeant la ruse du renard, parvient ainsi plus vite au terme de sa quête. Même le mensonge devient ami dans la poursuite de la vérité, car tout est grâce.

Revenons à l'enfant et à son besoin de projeter sur autrui le mal qui l'habite afin de se protéger contre une prise de conscience trop insupportable pour ses petites forces. Dans les contes, la sorcière sert d'objet de projection pour le jeune enfant, et d'occasion d'autocritique pour l'adulte. Il est donc naturel qu'elle soit brûlée et le mal démasqué avant le bonheur final. Qui fait le mal en meurt, car le corps du méchant subit en premier les conséquences néfastes de sa haine. Chacun sait qu'un esprit tourmenté par la malveillance n'est guère heureux.

Les contes, outrepassant les lois temporelles et spatiales, relativisent le mal, le ramènent à ses confins, le présentent comme un prétexte au triomphe du bien, comme l'ombre d'une absence.

La nette distinction du bien et du mal, obtenue par la projection mentale, aide l'enfant, tout d'abord, à se diriger dans un monde duel, à distinguer les choses entre elles, à voir le bien dans sa maman et le mal dans le feu qui brûle, à discerner l'essentiel du secondaire, le vrai du faux. Cela constitue le premier enseignement spirituel de l'enfant et lui permettra, plus tard, de détecter la fausseté dans le monde et ses causes en lui-même. Ainsi pourra-t-il comprendre le deuxième sens implicite des contes de fées : la relativisation du mal, nuancé par sa cohabitation avec le bien. Si l'adulte entretient une opposition irréductible entre le bien et le mal, il saisit difficilement comment l'hostilité peut se transformer en amour, ou sa bonne mère en « marâtre ».

Le mal semble prévaloir sur le bien lorsque la sorcière change le héros en statue de pierre, mais, transposé sur le plan intérieur, cela désigne notre identification totale au corps. C'est l'ensorcellement habituel de ceux qui, figés dans la matière tels des blocs de granit, s'y endurcissent, s'ankylosent, dégénèrent et meurent. Ce mal souligne l'aveuglement spirituel comme la maladie accuse la rigidité psychique et physique. Seules la mort de la sorcière, la fin de l'empêtrement matériel et de la suprématie des informations sensorielles sauraient redonner vie à la statue de pierre.

La femme initiatrice

Reines, princesses et demoiselles aux cheveux d'or peuplent les contes de fées et sont invariablement des êtres exceptionnels par leur beauté, leur grâce et leurs qualités d'âme. Le récit souligne toujours que leur rayonnement n'est pas uniquement superficiel, et que l'esthétique seule ne suffirait pas à la grandeur de leur destinée.

On peut se demander pourquoi leur chevelure est toujours dorée. S'il existe de si grandes différences de texture, couleur et calibre entre les cheveux et les poils, c'est qu'ils expriment deux aspects complémentaires de l'être humain. Les poils pubiens, plus foncés, épais et grossiers que les cheveux, énoncent la disposition de nos désirs et tendances passionnelles. Les cheveux, souvent plus fins et clairs, manifestent les caractéristiques de l'individualité, de la pensée, des idéaux et des aspirations. Ainsi, la chevelure d'or, halo païen, évoque une âme pure, lumineuse, intègre et dotée d'attributs éternels : l'or ne ternit jamais, même enrobé de la boue des siècles. Les cheveux longs, servant d'antenne, relient le sujet aux influences cosmiques ; courts, ils favorisent l'esprit pragmatique. Ainsi, la femme reste plus intuitive, rêveuse et idéaliste que l'homme qui s'adapte mieux à la logique mécanique, physique et scientifique. Les races anciennes aux toisons exubérantes s'occupaient de religion, d'astronomie, d'art et de philosophie.

Dans le conte de fées, la demoiselle aux cheveux d'or tombe malade et meurt lorsque son environnement est défavorable aux valeurs élevées. Quand elle est reine ou princesse, il faut entendre que le roi a cessé d'entretenir des sentiments nobles et n'offre plus à son épouse, ou à sa fille, les conditions nécessaires à son épanouissement. Nous apprenons alors que le royaume se dégrade, devient la proie de tous les vices. Car la reine, de tempérament éthéré et innocent, éprouvant des difficultés à s'accommoder du monde et repoussant les choses recherchées avidement par la plupart, dépérit rapidement lorsque manque l'affinité relationnelle avec son partenaire, ou si les circonstances contrarient trop sa vie intérieure.

D'autres fois, le demoiselle ne meurt pas mais fuit dans la forêt. Il s'agit alors d'une rupture familiale ou sentimentale due à l'absence de communication, au poids d'une vie trop matérielle qui empêche ses vertus spirituelles de fructifier. La fille n'a alors d'autre issue que de chercher un mode d'existence plus conforme à son idéal. Elle le rencontrera en la personne du roi-chasseur et la demande en mariage ne tardera pas.

Dans certains contes[1], cette nouvelle relation se noue grâce à trois robes emportées par la princesse lors de sa fuite : une flamboyante comme le feu, une autre argentée comme la lune, une troisième brillante d'étoiles. La belle, embauchée d'abord à la cuisine du château, prépare les repas du roi, vide les cendres et balaie les planchers. École d'humilité dont la leçon lui apprend que sa beauté et sa richesse ne suffisent ni à la valoriser ni à mériter l'amour parfait. Or, les robes illustrent trois types de rapports possibles avec autrui :

1. vital, sexuel — la robe flamboyante ;
2. émotionnel, sentimental — la robe argentée ;
3. intellectuel, idéal — la robe étoilée.

Ainsi donc, lorsque la fille s'échappe trois fois de la cuisine pour participer aux fêtes du roi et danse avec lui successivement dans ses trois robes, elle tente de spiritualiser les trois sortes de rapports

1. Grimm, *Contes, Peau-de-mille-bêtes.*

mentionnés. Soucieuse de réussir cette initiation du roi aux secrets de l'amour total, elle prend soin de se cacher dans la cuisine après chaque danse. De cette façon, leur relation demeure longtemps exclusivement sentimentale, psychique et spirituelle, permettant au roi de s'y consacrer et de s'y investir pleinement avant de goûter au contact physique qui ne pourra alors amoindrir l'intensité globale de leur union.

Dans *Peau-de-mille-bêtes*, le roi, intrigué, descend à la cuisine et trouve la fille barbouillée de suie et revêtue d'une fourrure. Il l'attrape par son manteau qui s'ouvre et, apercevant le scintillement de sa robe d'étoiles et l'éclat de ses cheveux d'or, il la reconnaît et demande sa main. Cela démontre les qualités du roi : ne se limitant pas aux apparences, il perçoit l'individualité profonde de la fille et s'en éprend d'un amour véritable. Il prouve sa capacité de transcender l'appréciation esthétique, le stade passionnel, pour saisir l'aspect éthique et spirituel de leur relation. La patience de la princesse porte ses fruits ; il n'existe plus de raisons pour retarder le mariage et les rapports sexuels.

Cette formation éthique que la princesse impose au roi se reflète dans la nourriture qu'elle lui prépare. Non seulement le roi trouve la soupe délicieuse, mais il y découvre trois fois un objet d'or appartenant à la demoiselle. Elle le nourrit de vibrations spirituelles et cuisine avec tant d'amour qu'il ne peut l'ignorer. Il s'éveille alors à l'intensité relationnelle indispensable au couple souhaitée par son épouse initiatrice.

CONTES CHOISIS
ET COMMENTÉS

Romieu de Villeneuve[1]

Cette histoire constitue une initiation à la solitude et à la méditation. On y voit comment la vie, le Soi ou l'inconscient détruisent l'existence mondaine et légère d'un châtelain pour le contraindre à des spéculations profondes. Les moyens utilisés à cet effet sont la faillite matérielle, l'échec des plaisirs éphémères, l'immobilisation dans une situation d'impasse et d'attente, la rencontre avec le maître qui, dans ce récit, semble être une présence intangible.

Le châtelain, Raymond de Provence, gaspille sa bonté et néglige ses capacités latentes de méditer ou d'évoluer, au profit de la paresse, des joies passagères et d'une vie mouvementée. On dirait que son inconscient provoque intentionnellement des malheurs pour l'obliger à cultiver ses possibi-

1. *Contes et légendes de Provence.*

lités virtuelles. Raymond recevait souvent tout le beau monde des chevaliers, demoiselles, troubadours et jongleurs. Sa passion de la poésie-chanson le possédait tellement qu'il prodiguait or et argent à ceux qui excellaient dans ces arts. Nous voici donc en compagnie d'un cœur noble, large et généreux, base propice à l'avancement humain et spirituel. Hélas, il est doté de peu de perspicacité et ne s'aperçoit pas que ses amis profitent de sa bonhomie pour piller ses coffres et ses propriétés. Et vient le jour où il n'a plus rien. Or Raymond avait complètement écarté les moments de réflexion solitaire et préférait les distractions bouffonnes ; il se fuyait et refusait la responsabilité à la fois de sa vie mondaine et de son équilibre psychologique.

Sitôt le château et ses coffres vidés de leurs joyaux et de leurs richesses, les visiteurs cessèrent de fréquenter le comte qui, bon gré mal gré, se vit réduit à l'isolement.

Raymond avait quatre filles, mais aucun fils ; on peut y voir le signe de son déséquilibre par excès de facteurs féminins et par manque de fermeté, de raisonnement et de sens pratique, qualités nécessaires pour gérer un domaine ou entreprendre la quête spirituelle. Dans les grandes tragédies, la catastrophe s'abat souvent sur les familles composées uniquement de filles. La folie du roi Lear en exprime l'archétype au niveau théâtral, comme la maladie des trois sœurs Brontë dans la vie. La dissolution du principe masculin laisse libre cours au flou obscur des mondes cachés et aux influences lunaires troublantes, entraînant le déferlement d'une anima primitive et incohérente.

Raymond semble réfléchir ainsi à son destin, car le chagrin intensifie sa conscience et éveille en elle l'interrogation. N'est-ce pas le rôle de toute souffrance de stimuler des remises en question négligées dans le bien-être ? Il tente alors de marier une de ses filles à un comte voisin pour redresser la situation, mais devant le rejet de cette proposition, Raymond ressent pleinement sa déchéance. Le vent et la pluie commencent à s'infiltrer par le toit et les murs du château, et le cœur de Raymond, se serrant douloureusement, perd tout goût pour la poésie, la chanson et les bouffonneries. L'introspection lui montre l'art et la culture comme des fabrications mentales plaisantes, sans doute, mais irréelles et sans valeur, qui s'écroulent lorsque la peine ramène l'âme à l'essentiel.

Raymond expédie les derniers bouffons et jongleurs, crée le vide autour de lui commé l'intellectuel qui, à la suite d'un chagrin et d'une descente précipitée en lui-même, abandonne ses activités et ses relations culturelles. L'adepte voit son cercle d'amis se rétrécir au fur et à mesure qu'il modifie sa longueur d'onde intérieure ; tout ce qui ne correspond pas à la nouvelle vibration tend à s'éloigner, si bien que le pèlerin doit souvent endurer la solitude.

Ainsi, Raymond passe de longues soirées devant le feu, perdu dans la contemplation silencieuse des flammes. Ramené à lui-même par la force des choses, seul et privé de distractions, il s'engage imperceptiblement sur la voie de la méditation. Cependant, le récit ne mentionne pas les quatre filles, comme pour accentuer l'acte hautement viril d'observation de soi, qui dérive du principe masculin (le *Purusha* dans le *samkhya*), par rapport auquel l'objet de contemplation — le psychisme, l'émotionnel, la tristesse, etc. — est féminin. Le regard spectateur pénètre l'âme (l'anima) comme le pénis s'introduit dans le vagin, nous rendant simultanément masculin et féminin, maître et élève. Cela prélude à la découverte du maître intérieur, faute de quoi l'homme subit la manie stéréotypée de toujours vouloir mater la femme pour compenser son inaptitude à « mater » son propre psychisme, à développer une maîtrise ferme de lui. De même, lorsque la femme recherche impérativement un homme dur qui la domine, n'est-ce pas, entre autres, à cause de son impuissance à surveiller ses états corporels et émotionnels ? L'homme et la femme se situent alors dans un rapport de dépendance.

Le feu sert de support à la méditation, car l'éclat, l'odeur et les bruits des flammes fascinent l'esprit, annulent les pensées vagabondes et induisent la concentration. C'est ainsi que les voyantes y surprennent visions du passé et du futur. Selon les initiés, l'élément feu incarne les esprits des hautes sphères, tels les élohims, et les écrits hindous abondent en hymnes à *Agni,* dieu du feu qui réduit les formes sensibles en cendres et détruit les spéculations inutiles. Voilà pourquoi les ermites se couvrent de cendres en signe de détachement et que les alchimistes se transforment grâce à leur participation à la vie du feu.

Que Raymond ne devienne pas pour autant amer et désespéré, mais reste doux et aimable dans l'adversité, voilà qui démontre sa capacité d'accepter la solitude et l'écroulement de son existence passée. Si son moi s'était révolté contre le mauvais sort, il aurait été tourmenté, endurci et enclin à projeter sur autrui la cause de sa malchance. Mais la douceur l'envahit alors qu'il fixe le feu ; il n'accuse personne, même pas lui-même ; il pressent qu'au fond, cette impasse qui le coince couve un sens et une raison cachés. Il y voit les desseins de son inconscient qui l'oblige ainsi à revenir en lui-même. Blâmer autrui suscite colère et opposition, tandis que l'auto-accusation mène au désespoir. Raymond, évitant ces deux extrêmes, transcende les réactions humaines, et le sage visiteur lui dira : « Les difficultés ne vous ont pas rendu méchant ; Dieu vous en récompensera. »

Par un soir de Noël, fête de la pauvreté et du dénuement, alors qu'il gelait dehors et que Raymond n'avait plus de bois pour entretenir son feu, tout en lui se consumait jusqu'au moindre souvenir et sa passion s'éteignait. Or, la grâce se révèle lorsque l'humain s'épuise — de la même façon, seul un récipient vide est utilisable.

Raymond pose une branche de romarin sur les dernières flammes vacillantes, d'où se dégagent un éclat et un parfum vifs. Le renouvellement psychologique devient possible lorsque l'esprit, coupé de ses préoccupations mondaines, abandonne sa volonté personnelle. N'est-ce pas là le message ésotérique de Noël ? La luminosité et l'odeur saisissante qui jaillissent de la combustion du romarin évoquent la clarté et la pureté intérieures. L'âme devient transparente et limpide comme la « rosée-marine », racine étymologique de « romarin », plante qui, poussant quatre fois l'an, même en hiver, symbolise le pouvoir de renaissance là où tout semble stérile et gâté.

A ce moment précis, un homme tranquille apparaît aux côtés de Raymond. Personnage hors du commun, il détient des connaissances occultes, les secrets des astres, et se volatilise à la fin du récit. Romieu, séduit par le parfum du romarin, l'éclat du feu et la belle clarté du sacrifice intérieur de Raymond, s'avérera un maître initiateur possédant le pouvoir de désintégrer son corps dans la lumière. Ou s'agirait-il d'un maître invisible que Raymond attire grâce à ses longues et intenses méditations ?

Romieu s'excuse de sa visite inattendue, dit que la ville entière dort, que la porte du château était ouverte et qu'il n'y avait aucun garde dans les escaliers. Cette description constitue l'image parfaite du méditant au seuil de la mort psychique. La cité sommeille comme se sont tus désirs et projets ; la nuit (de l'âme) est propice à l'initiation. Raymond avait rendu le sommeil vigilant en s'établissant consciemment dans la dimension où, communément, les gens s'assoupissent. De même, selon la Bible, Nicodème vint rencontrer Jésus dans la nuit, c'est-à-dire au plan spirituel, car, pour les sages, le jour est nuit, et la nuit est jour. Le portail du château, comme l'âme de Raymond, se trouvait grand ouvert, n'opposant aucun obstacle à la venue du maître. Pourquoi Raymond craindrait-il les voleurs quand il n'y a rien à voler? Et son dénuement psychologique rappelle la destitution du château. « Heureux les pauvres en esprit, car ils verront Dieu. »

La haute dignité spirituelle de Romieu est apparente dans son chapeau large et rond comme une roue. Esprit ouvert au cosmos par la forme circulaire du chapeau semblable à ceux représentés sur les cartes du tarot, son élévation relève également de l'ouverture du cœur figurée par une branche de romarin accrochée à sa poitrine (l'essence de cette plante possède des propriétés purifiantes et vivifiantes). Cet homme, ayant unifié l'animus et l'anima, revient de Compostelle par la « grande route d'argent » que saint Jacques traça dans le ciel. Ainsi, pour venir en aide à Raymond, il descend d'une hiérarchie initiatique supérieure en empruntant la voie des étoiles. La « route d'argent » désigne aussi les liens astraux qui permettent à Romieu de contacter intérieurement Raymond. Le pèlerinage à Compostelle, aboutissement d'un long trajet en spirale, traduisant la quête de l'éternel au cœur de l'homme, est symbolisé par une tour, dominant du haut d'une colline six lieux de repos et de pèlerinage mineurs. En schématisant, on retrouve les sept centres ou plans de l'itinéraire intérieur :

147

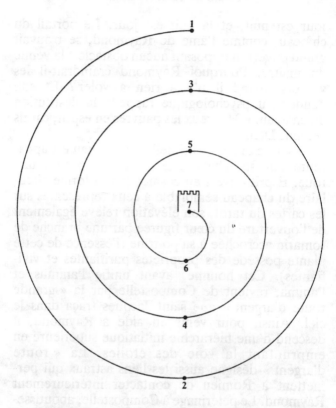

Le premier constitue le point de départ ou la mise en route du centre énergétique inférieur, ou encore le premier jour de la création. Le septième est l'accomplissement final, le repos dans le cœur symbolisé par l'initiation dans une tour en haut d'un mont taillé en spirale.

Pour tester Raymond, Romieu lui demande s'il

ne regrette pas la perte de ses richesses. Le comte répond que seules l'affectent les tentatives de mariage ratées de ses filles et la fausseté de ses amis. Ce désintéressement permet à Romieu de procéder à l'instruction de Raymond, et quand il propose son aide pour remplir à nouveau d'or les coffres du château, son but, en fait, est d'achever la transformation de son disciple et de lui permettre d'accéder à l'Illumination. En enrichissant le domaine, Romieu n'entend certes pas favoriser le retour de Raymond à une vie superficielle, mais permettre aux quatre filles de trouver des prétendants. Il va de soi que le comte devra poursuivre ses méditations dans l'humilité au sein même de l'opulence. Voici donc le sens de son épreuve : aura-t-il la force de continuer ses réflexions solitaires alors que son château bourdonne de poètes, de jongleurs et de séduisantes demoiselles ? Saura-t-il concilier la voie spirituelle avec la vie relationnelle ? Sans vraiment la formuler, c'est la grande question que Romieu pose à Raymond.

Reconnaissant envers le maître de ses propositions, Raymond lui remet entre les mains l'administration du royaume tout entier. Puis, par un escalier en colimaçon, il le conduit à sa chambre au sommet de la tour du levant. Nous retrouvons la spirale du pèlerinage, trajectoire où circule l'énergie à travers les étages de la moelle épinière.

Au bout de trois ans, les affaires fleurissent, et le bonheur paisible habite les cœurs. Raymond évolue de façon positive, mais il ne doit pas s'arrêter ou relâcher sa discipline, n'ayant atteint que la troisième étape du parcours. Une faute, même minime, peut le faire chuter et démolir son acquis. Or, la troisième phase de la quête consiste à maîtriser en soi les processus vitaux, émotionnels et animaux, besogne malaisée à accomplir, d'où le risque de déviation si la moindre prise est donnée à l'ambition, aux passions, à l'avarice, etc. L'énergie accumulée par l'ascèse serait alors dispersée à tous vents et le disciple en dépérirait. Romieu surveille donc attentivement les serviteurs et les activités du château, soumettant chacun à l'obéissance et n'hésitant pas à réprimander sévèrement Raymond pour le sauver de la corruption, et à l'encourager quand il est triste ou abattu. Ainsi cessent les pertes par vol ou par négligence et l'or s'accumule comme l'énergie de Raymond se concentre de mieux en mieux.

Romieu prend l'habitude de s'enfermer dans son colombier en haut de la tour pour méditer deux ou trois jours de suite. Sa compétence de maître s'exprime dans le mariage qu'il arrange entre la fille aînée (la fonction intuitive) et le roi (le Soi). La promise se rend à la cour accompagnée de ses trois sœurs, la sensation, l'émotion et la pensée : toutes les facultés et fonctions doivent être subordonnées au divin.

A aucun moment Romieu ne révèle son vrai nom : le silence d'une âme morte à elle-même n'a pas de nom, elle n'est plus personne.

Le temps passe et Raymond relâche son effort d'introspection, car les jongleurs et les bouffons reviennent au château, réveillant en lui le goût des plaisirs d'antan. Peut-être s'estime-t-il suffisamment avancé pour se dispenser de la vigilance, ou alors ses penchants, retranchés dans l'inconscient mais toujours vivants, se réaffirment-ils ? Ces deux facteurs semblent se conjuguer, car rien dans le récit ne suggère qu'il descend profondément en lui-même pour purger ses tendances obscures qui, réprimées par l'ascèse, rebondissent avec une puissance décuplée. Ainsi, l'adepte plafonne, soit parce qu'il a atteint le maximum de ses possibilités, soit parce qu'il se trouve satisfait de ses expériences et de leurs résultats. Une baisse du niveau de conscience se produit alors inévitablement.

La révolte de Raymond contre le Soi s'accentue graduellement : les courtisans sont jaloux de Romieu et mécontents de ne plus profiter de la générosité du comte ; les intendants refoulent une colère grandissante, furieux de ne plus pouvoir s'enrichir aux dépens du châtelain ; tous regrettent leur liberté antérieure. Ils chuchotent d'abord, puis élèvent la voix pour troubler Raymond de leurs railleries. Ces scènes montrent précisément comment les anciens désirs réprimés se relèvent et assaillent la conscience afin de regagner le terrain perdu.

On cherche à calomnier Romieu pour exciter la colère de Raymond, qui finit par douter de son maître. En écoutant les mensonges (de son propre mental) il s'éloigne de la méditation et abandonne le chemin spirituel. Un soir de fête, l'esprit étourdi par trop de vin, il succombe aux paroles fourbes et cède à la proposition de fouiller la chambre de Romieu. Soûl, il ne résiste plus aux incitations et aux soupçons de ses pensées. L'absorption du vin et, par conséquent, la diminution de la conscience prouvent l'incapacité de Raymond à s'approcher du Soi — la chambre solaire de Romieu — sans subir une baisse du seuil de sa vigilance. Aussi le fait-il dans un état de demi-éveil.

De la terrasse où il contemplait le chemin de Saint-Jacques parmi les étoiles, Romieu entend le fracas des coups et descend. Raymond l'accuse de malhonnêteté et exige l'accès à sa chambre ; Romieu accepte mais prévient que cet acte le chassera irrévocablement du château. Ainsi, lorsqu'un méditant persiste dans l'erreur, le maître invisible qui l'entourait pour l'initier se retire en l'abandonnant à son propre sort. Tandis que Raymond et sa suite découvrent que la pièce ne renferme aucun butin clandestin, Romieu disparaît à tout jamais.

Jean de l'Ours [1]

Ce qui manquait à Raymond dans le conte précédent, à savoir la connaissance des niveaux profonds de la psyché et l'épuration des aspects néfastes de l'inconscient, Jean de l'Ours l'obtient

1. *Contes et légendes de Provence.*

grâce à son courage et sa grande détermination. C'est pourquoi, contrairement au récit de Romieu de Villeneuve, ce conte a une fin heureuse. En effet, la quête spirituelle ne peut s'accomplir pleinement dans la sérénité que par la purification totale de l'inconscient. Sinon, quelle que soit la hauteur à laquelle le méditant se hausse, il demeurera toujours à la merci d'une chute pénible et parfois désespérante lors de la résurgence de pulsions insatisfaites ou refoulées.

Orsane, orpheline, s'égare dans la forêt un jour d'automne. Le soir venu, elle s'allonge dans une grotte et s'endort. A l'aube, un ours la réveille et lui propose logis et nourriture à condition qu'aucune parole ne soit jamais échangée entre eux, faute de quoi il la dévorera. Orsane a donc entrepris une investigation dans les diverses couches de la psyché (la forêt), jusqu'à ne plus pouvoir retourner à une vie superficielle. Elle débouche ainsi sur une force inconsciente gigantesque mais archaïque et fruste (l'ours de la grotte). Or, elle ne doit pas s'accrocher à son passé culturel, ni à son moi intellectuel, qui ne supporteraient pas l'impact de la puissance qu'elle vient de découvrir et subiraient un éclatement et une destruction : l'ours la dévorera si elle parle.

Au début, Orsane essaie de retrouver le chemin du retour, puis y renonce et accepte de vivre loin des hommes, tout comme l'adepte résiste à sa transformation et tente de récupérer son confort d'antan, mais constate que, coûte que coûte, il doit poursuivre sa recherche qui mûrit souvent le mieux

153

loin du tumulte du monde. Orsane comprend que les grandes œuvres s'accomplissent dans le silence ; c'est au calme de la forêt qu'elle nourrit en son sein un fils, futur conquérant de l'inconscient. Fruit de l'union d'Orsane et de l'ours, sa naissance relève d'un ordre magique. Né le jour le plus long de l'année, il reçoit le nom de Jean, présage de son destin qui l'appellera à répandre la lumière dans les ténèbres.

Garçon, il lutte avec les oursons, louveteaux et marcassins, et en sort toujours victorieux, jusqu'au jour où il est las de ne plus rencontrer d'adversaire à sa taille. Ces combats signifient que Jean commence à prendre conscience de ses instincts et à les dominer, mais que l'absence de stimulation dans son cadre de vie l'empêche de se connaître davantage. Contrairement à sa mère, qui représente la voie solitaire, Jean a besoin de confrontations relationnelles pour progresser. Ce sont deux étapes d'un même itinéraire. Voilà pourquoi il emmène Orsane en ville, s'appliquant ainsi à introduire la force primitive de l'inconscient parmi les hommes pour la civiliser, l'adapter au quotidien et mieux la comprendre. Orsane inscrira donc Jean à l'école, amorçant par ce biais un processus de sublimation, mais aussi de conditionnement, qui risque d'amoindrir la vitalité païenne de Jean. Tout dépendra de la manière dont l'adaptation sera comprise et organisée : saura-t-il se civiliser sans trop se conditionner ? fréquenter les hommes sans nuire à sa pureté ?

Jean n'aime pas l'école, refuse l'endoctrinement

et se révolte contre l'étroitesse des milieux officiels. Cela l'empêche au moins de s'endormir! Comme tous les chercheurs spirituels, Jean fait l'apprentissage de l'incompréhension et de l'humiliation lorsque les écoliers se moquent de lui et l'évitent à cause de sa robustesse physique. Chacun sait que la souffrance relationnelle provoque le détachement et intensifie l'éveil intérieur.

Jean exprime son refus en assommant l'instituteur, mais on ne se libère pas du système si facilement, et les autorités l'emprisonnent. Il découvre que la société accepte mal les marginaux, considérés comme dangereux pour les structures établies. Cependant, aucune pression, si habile soit-elle, ne saurait arrêter l'évolution psychologique d'un être à l'aspiration forte et courageuse. Ainsi, Jean défonce la porte de sa prison d'un seul coup d'épaule et rentre chez sa mère. Comprenant son manque d'affinités avec les villageois, il décide de partir seul, de quitter les chemins battus, de couper les liens du sang et de prendre une route solitaire. Alors commence véritablement l'aventure vers l'inconnu.

De village en village, Jean ne trouve ni accueil ni travail, rançon de son rejet des conventions et des valeurs mondaines. Aussi, ce n'est pas par hasard si seul un forgeron accepte de l'embaucher, car la forge, lieu d'alchimie et de transformation où le fer est chauffé, fondu, trempé et battu de nombreuses fois pour devenir utile, évoque bien les bouleversements et les métamorphoses endurés par le mutant.

Néanmoins, ce procédé ne convient pas non plus

à Jean qui casse les outils et les enclumes par maladresse. Le forgeron lui suggère de chercher fortune ailleurs. Il est probable que Jean ne devait pas passer sa vie entière ici, la fabrication de fers à cheval et autres pièces utilitaires n'était conforme ni à son destin ni au vrai sens de l'alchimie. Avant de partir, il demande la permission de se forger une grosse canne à partir des morceaux de métal cassé, ce qui constitue une œuvre individuelle — sans grande portée pratique —, synthèse de ses essais et erreurs chez le forgeron. La création suit une ligne brisée de tentatives et d'échecs, de même que la purification de la volonté en vue du Grand Œuvre résulte d'un processus symbolisé par le morceau de fer chauffé, martelé et trempé.

En route, Jean rencontre d'abord Déferre-Moulin, appelé ainsi parce qu'il s'amuse à lancer au loin d'immenses meules de moulins, puis Tord-Chêne, qui arrache des arbres à la main pour en faire des fagots. Les trois braves voyagent ensemble et parviennent au pied d'une montagne. A son sommet se dresse un château qui, au dire d'une vieille femme, est maudit puisque aucun des chevaliers y ayant pénétré n'en est sorti. Jean de l'Ours encourage ses compagnons hésitants à y monter.

Dans la nuit, ils atteignent le château qui, tel l'esprit d'un méditant, est vide et silencieux.

Le lendemain, Déferre-Moulin prépare le déjeuner tandis que ses deux amis vont à la chasse. Au moment de prendre un cor pour signaler l'heure du repas, voici qu'un petit bonhomme nu, le crâne aplati et ressemblant à un nain déformé, tombe de la cheminée avec fracas. Se voyant très mal accueilli, il se jette férocement sur Déferre-Moulin, le rouant de coups jusqu'à provoquer son évanouissement. Le jour suivant, le même sort attend Tord-Chêne pendant que les deux autres partent chasser.

Le troisième jour, Jean de l'Ours décide de rester à son tour. Le repas prêt, il sonne le cor à la fenêtre ; au même moment, le petit bonhomme se précipite hors de l'âtre et s'évertue à l'assommer, mais Jean, s'emparant de sa canne de fer, lui en administre des coups si retentissants sur le crâne qu'il s'écroule.

Tout se passe comme si le bonhomme — de même que la vieille au pied de la montagne — jouait le rôle d'avertisseur, de gardien, telles les entités astrales repoussantes qui effraient les personnes insuffisamment préparées afin de leur épargner une percée dangereuse dans les mondes suprasensibles, laissant seulement passer les sujets psychologiquement équilibrés. Le combat avec le bonhomme teste l'aptitude de Jean, comme les danses rituelles tibétaines à masques hideux annoncent la rencontre de l'adepte avec les « monstres » astraux. Le nain habite la cheminée, seuil des sphères invisibles par où pénètrent les esprits, le père Noël, les sorcières, etc., ce qui confirme sa place de gardien. Mais il révèle également à Jean, qui s'en est montré digne, le secret du château enchanté. Au fond d'un puits, sous l'âtre, attend d'être délivrée la plus belle princesse du monde. Il en est de même de la moitié féminine de l'homme, enfouie profondément dans le psychisme masculin.

Au retour de Déferre-Moulin et de Tord-Chêne, Jean les traite de poltrons : la force physique ne suffit pas, il faut aussi développer sa tête et son cœur, dit-il. Voilà ce qui le distingue de ses compagnons à la volonté brute et aveugle, dénués du discernement et de la finesse nécessaires pour résoudre l'énigme.

Jean les met de nouveau à l'épreuve en leur proposant de descendre dans le puits jusqu'au ventre de la montagne : « Le plus courageux d'entre nous épousera la princesse ! » Déferre-Moulin, attaché à une corde, dévale en premier. La corde s'avérant trop courte, on le remonte ; il est pâle, tremblant de peur, et refuse de recommencer. « Il n'y a rien dans le puits, dit-il, et ce néant est terriblement effrayant. » Il ne supporte pas l'absence de données objectives et de phénomènes perceptibles. En effet, celui qui s'enfonce en lui-même devra s'affranchir de la conscience corporelle, sensorielle et intellectuelle.

Tord-Chêne descend ensuite au bout d'une corde plus longue, mais il tire pour être remonté et revient aussi pâle et apeuré que Déferre-Moulin.

Enfin, Jean tente sa chance. La descente lui semble interminable. Arrivé au sol, il se dirige vers une lueur qui grossit et ressemble au soleil. Ayant dû traverser les couches obscures de sa nature, Jean aperçoit la clarté du Soi, là-haut, tremblante comme la surface d'un lac. Il remarque, le long du chemin, des squelettes et des armures brisées, tristes vestiges de pèlerins ayant succombé au contact de l'inconscient.

La rivière que Jean doit franchir sur une planche en guise de pont, et dans laquelle il manque de tomber, figure l'éternel flux des activités mentales. Il est indispensable à l'adepte de se maintenir au-dessus : s'il choit, il sera noyé par le courant.

Sur l'autre rive se dresse un dragon cracheur de feu, mais Jean le tue d'un coup de canne. Après avoir maîtrisé l'esprit, il remporte la victoire sur le feu des passions.

Ensuite, surgit un dragon dont chacune des sept têtes possède un œil, en référence aux sept péchés que l'adepte doit surmonter. Sitôt la deuxième victoire remportée, la Mère-de-tous-les-dragons du bord du lac scintillant s'abat sur lui. Prenant Jean dans sa queue, puis s'envolant, ce dragon des eaux claires représente les luminosités lucifériennes, êtres déchus par orgueil spirituel et par abus de pouvoirs occultes. Les aspects subtils du désir, l'orgueil et autres tentations difficiles à surmonter, se présentent à l'initié qui a transcendé les attachements ordinaires. Les esprits désincarnés le félicitent alors et lui proposent des jouissances célestes, certes admissibles, mais retardant la libération finale.

Jean parvient à trancher la queue du dragon et tombe avec elle, tandis que le monstre s'écrase contre la roche. Enracinant ses pieds au sol, Jean ne succombe pas aux lueurs lucifériennes raffinées.

La queue du dragon sautille vers une petite maison sans fenêtres en haut d'un tertre, d'où s'échappe le chant discret, beau et triste de la princesse. Ainsi les forces adverses maîtrisées se transforment en aide et favorisent alors la découverte de l'Âme. Les fonctions sensorielles ne servent pas ici puisque la maison est sans fenêtres : il s'agit d'un état tout intérieur. Le chant à peine audible ressemble à la petite voix de la conscience qui, plaintivement mais obstinément, appelle au secours sans répit jusqu'à être entendue et suivie. Les chercheurs spirituels connaissent ce phénomène.

La queue avance encore vers la demeure et Jean, inquiet pour la princesse, enfonce sa canne dans le cuir verdâtre afin de l'empêcher de sauter. Le petit bonhomme en sort, nu, blanc, et glisse sous la grosse porte de la maison, laissant tomber sa baguette. La nature féminine, douée pour les manifestations psychiques et spirites, sera-t-elle séduite par des jouissances subtiles ou saura-t-elle s'en protéger ? Par ailleurs, lorsque le nain se faufile sous la porte, dernier rempart de son empire, il avertit l'imprudent du danger (de catalepsie, de perte de connaissance, de folie et même de mort) qu'il encourt à s'emparer prématurément de la « princesse ». Par la perte de sa baguette, le nain est destitué de son pouvoir et de son rôle de gardien du seuil.

Jean, surmontant l'intimidation, rassemble toutes ses forces et défonce la porte avec sa canne. A l'intérieur, une chatte géante lui barre le passage et lui assène des coups de griffe épouvantables. En se défendant, il brise sa canne et se voit perdu.

160

Ramassant à tâtons le coudrier du bonhomme, il cogne avec ce qui lui reste d'énergie jusqu'à ce que la chatte tombe, morte.

De même que la princesse se trouve entourée de chattes sauvages et de dragons, de même le cœur fin et noble de l'anima est enveloppé des traits inférieurs du principe féminin : ruse, mensonge, perversité, magie noire. Pareillement, un nuage d'émotions, d'angoisses et de désirs couvre la flamme éternelle au centre de l'homme et doit être dissipé — la chatte tuée — pour que l'Âme soit sauvée.

Jean sent la fin proche quand sa canne se brise, mais c'est au moment où les moyens utilisés jusqu'alors défaillent qu'il tue la chatte et accède à la maison, comme s'il ne pouvait y entrer et vivre l'union qu'au prix d'un dénuement total.

La princesse apparaît, se jette dans les bras du héros et l'embrasse, mais au contact de ses lèvres, Jean s'évanouit : son ego disparaît en même temps que la notion de dualité et il peut alors connaître l'extase. La princesse réveille donc Jean à la communion consciente et non pas à son moi. Ayant atteint l'ouverture du puits, elle lui déconseille de la faire monter en premier ; en effet, grâce à son intuition infaillible, elle pressent les intentions malhonnêtes des deux hommes restés dans le château : elle sait que Jean, après avoir découvert son âme dans l'inconscient, et en réintégrant la vie quotidienne (le château, les deux amis), court le danger de s'empêtrer dans des complications mentales. Sa personnalité risque d'accaparer et de conceptualiser l'expérience spirituelle vécue en profondeur. Mais Jean, ne se méfiant pas assez de ses sens et de son mental, cède aux défauts de son innocence : absence de jugement, naïveté et manque de connaissance du genre humain. Oubliant que l'innocence devant Dieu ne dispense pas d'être prudent avec les hommes, il convainc la princesse de monter avant lui.

Toutefois, seul dans le silence — dans la méditation —, Jean réfléchit à la fausseté de Déferre-Moulin et de Tord-Chêne, soupçon justifié puisque les deux gaillards, séduits par la grâce de la princesse, ne songent plus qu'à se l'approprier. A cet effet, ils lâchent subitement la corde à laquelle ils croient Jean attaché et, au bruit sourd produit, la princesse s'évanouit.

Heureusement, par circonspection, Jean avait suspendu une grosse pierre à la corde. Emprisonné dans la montagne mais sain et sauf, l'idée lui vient de s'envoler sur la queue du dragon, d'utiliser les pouvoirs psychiques que développe l'initiation : don de voyance, de clairaudience, de voyages dans l'astral, dont l'usage n'est pas interdit en cas d'extrême nécessité. Assis sur la queue, il lui suffit de désirer se mouvoir pour être exaucé immédiatement (peut-être s'agit-il d'un voyage intérieur ?). Il parvient au sommet du puits mais trouve le château vide et écroulé. De même, lorsque les facultés humaines accaparent les expériences suprasensibles, il s'ensuit un désastre et des œuvres longuement élaborées s'effondrent brusquement.

Déferre-Moulin et Tord-Chêne reconduisent la

princesse chez son père, décidés à l'épouser. Ils menacent de la tuer et de détruire le palais du roi, en cas de refus. Ainsi, afin de survivre, l'anima est obligée de pactiser avec les machinations perfides de la pensée et de la volonté, qui restreignent son action et annulent constamment son influence. La princesse, résignée, se prépare au mariage. Lors du banquet donné dans les jardins du palais, Jean de l'Ours apparaît sur la queue du dragon à la recherche de sa fiancée. Le visage illuminé d'amour, il se dirige vers la table royale. A la vue de celui qu'ils croyaient mort, Déferre-Moulin et Tord-Chêne, effrayés, s'enfuient à toutes jambes. Jean ne songe guère à les talonner ; il oublie tout dans les bras de sa petite princesse.

Celui qui partit en quête de la peur[1]

Cette histoire constitue un véritable traité initiatique qui guide le pèlerin à travers quatre étapes importantes de son itinéraire :

1. le manque d'intérêt pour les choses matérielles et son corollaire, l'inefficacité pratique ;

2. la nécessité d'entrer en relation avec ses propres émotions et son anima ;

3. le contact avec le monde astral, ses dangers et le dépassement de la peur ;

1. Grimm, *Contes*.

4. la reprise en main des responsabilités dans la vie quotidienne tout en évitant la corruption.

Le héros de ce conte s'avère incapable d'apprendre ou d'agir correctement, contrairement à son aîné, doué en tout mais peureux. Cela souligne deux points :

— que l'intelligence intellectuelle et sociale ne suffit pas pour venir à bout des épreuves de l'initiation ou affronter la peur ;

— que l'homme introduit dans le processus de la connaissance de soi vivra probablement une période où il délaissera le monde et deviendra inopérant sur le plan de l'action.

Ce garçon personnifie l'état d'innocence de l'âme avant sa rencontre avec les artifices, malices et intrigues. Même les grands maîtres se comportent parfois bien curieusement. Ramakrishna, par moments, ne savait ni s'habiller ni manger. La carte astrologique de Ramana Maharichi montre un destin d'échec total au niveau matériel. Krishnamurti, quant à lui, ne parvenait pas à assimiler ses leçons à l'école. Leur esprit se situait en dehors de l'apparat, de la réussite mondaine et de l'étude, et cela n'empêcha pas leur intelligence d'exceller dans d'autres domaines et d'être reconnue à sa juste valeur. De même, le cadet du conte, malgré ses déficiences, réussit à trouver le trésor, la princesse et le bonheur.

Tout son problème réside dans l'impossibilité d'éprouver la chair de poule. Deux explications peuvent en être données : ou il est coupé de ses émotions, bloqué, étranger à l'anima, ou son innocence, ignorant le mal et le danger, lui ôte toute raison d'avoir peur. Cela soulève une double question : comment découvrir son côté féminin et les aspects obscurs de sa nature ? Comment concilier son innocence et les connaissances du monde sans sombrer dans la décadence et la perversité ?

Le cadet, embauché pour sonner les cloches dans une église, appelle les gens à communier, à s'unir, à se marier. Et qu'est-ce qu'une cloche, sinon un instrument qui accorde le vide et le plein, alliés non seulement dans le rapport entre le battant et la panse creuse de la cloche, comme dans l'acte sexuel, mais aussi dans la fusion entre l'espace et les vibrations sonores ? Voilà une image parfaite de la nécessité d'unir l'innocence au monde sans qu'elle en subisse la dégradation.

Sonner les cloches s'adresse à la conscience et non à l'intellect. La première nous chuchote quelque chose de véridique, mais le second a vite fait de calculer et de nous suggérer le contraire. Ainsi, il existe une sorte d'opposition entre la voix de la conscience et les supputations mentales : la porte s'ouvre d'un côté, à l'intuition, à la bonté, au dévouement, et de l'autre, au doute, à l'analyse, aux raisonnements intéressés. Alors que la conscience procède par empathie, l'intellect réfléchit les choses à distance. Par conséquent, le sonneur de cloches est celui qui arpente une voie où le raisonnement, ne suffisant plus, doit être dépassé. Voilà pourquoi le sacristain fait lever le cadet à minuit, heure des fantômes et autres créatures nocturnes, pour qu'il sonne les cloches et apprenne à veiller dans le monde occulte, inaccessible à la conscience intellectuelle. Il connaît donc une initiation au domaine astral qui, peuplé d'entités effrayantes, ne peut être affronté correctement que si l'adepte a surmonté sa peur. On comprend alors pourquoi le sacristain met son élève à l'épreuve en se déguisant en fantôme du clocher, et comment l'attitude intrépide du cadet prouve sa capacité de voir les aspects hideux des plans astraux sans s'émouvoir. Non seulement il ne panique pas devant le « fantôme », mais il le saisit et le jette au bas de l'escalier. On le renvoie alors chez son père qui, honteux, le bannit du foyer. Il traverse ainsi une autre phase initiatique consistant à briser les liens du sang et à chercher son propre chemin, celui de l'Esprit. Libéré des entraves et influences familiales, il renonce aux habitudes sécurisantes de son ancienne vie et part, décidé à se débrouiller, connaître la solitude, bref, découvrir son individualité propre.

Prenant congé sans amertume et même volontiers, impatient qu'il est de poursuivre son destin, il voudrait éprouver la peur et acquérir une science qui le nourrirait : si l'on devient trop étranger à son propre psychisme, les ressources intérieures tarissent avec les informations qui, normalement, nous viennent de l'inconscient. Un tel danger menaçait le cadet en raison de son indifférence à l'égard des perspectives de sa vie présente.

Au cours de ses pérégrinations, un charretier le voit et lui demande : « Qui es-tu ? — Je ne sais pas », répondit-il. Il sait donc qu'il ne sait pas qui il est, ce que la plupart ignorent. Être sûr de ce qu'on n'est pas suppose la remise en question des identités courantes de l'égo, et prouve une certaine connaissance négative de soi : sans avoir trouvé ce qu'on est, on a néanmoins des certitudes quant à ce qu'on n'est pas. Le charretier demande : « D'où viens-tu et qui est ton père ? — Je ne sais pas », rétorque encore le cadet. Donc, son origine ne se situe ni dans un endroit terrestre ni dans le ventre de sa mère. Il pressent que son être véritable ne dérive pas de ses parents ou des circonstances. Le Soi vient-il de quelque part ? Le père Le procrée-t-il au même titre que le corps ? Ces questionnements indiquent que le cadet touche de près la racine de son moi et ce qui échappe à la lignée héréditaire.

La nuit tombant, tous deux parviennent à une auberge, et puisque le cadet ne cesse d'exprimer son désir d'expérimenter la peur, l'aubergiste lui signale un château ensorcelé où il pourrait facilement éprouver cette émotion à condition d'y passer trois nuits à *veiller*. « N'y allez pas ! s'exclame la patronne, tous ceux qui s'y aventurent trouvent la mort. » Paroles initiatiques exigeant du pèlerin le courage, le don de sa vie si nécessaire, et peut-être la perte de sa santé physique et psychologique. La condition de la réussite, clairement évoquée dans l'épreuve consistant à veiller trois nuits au château, exige une vigilance extrême et l'aptitude à soutenir l'attention lors de l'accès aux royaumes suprasensibles. L'obstacle majeur de l'endormissement et de l'inertie doit être surmonté. Le cadet, comme le héros de *L'Oiseau d'or* de Grimm, devra savoir s'étendre, rester éveillé et résister au sommeil. Alors seulement, quand minuit sonnera et qu'un frémissement traversera l'air, il verra au clair de lune un oiseau au plumage doré voler vers lui.

Ces trois nuits de vigilance représentent la transcendance que l'adepte doit effectuer par rapport aux trois « corps », physique, émotionnel et mental.

Au valeureux qui percera le mystère du château, le roi a promis sa fille, récompense symbolisant le mariage des principes masculin et féminin. Ainsi, la découverte de son anima, de ses sentiments, du bonheur relationnel, puis de sa parenté avec l'Âme constitue le long chemin parcouru par le cadet.

Dans le château, de méchants esprits gardent de fabuleux trésors destinés au vainqueur : derrière la peur de la mort se cache l'amour. Avec la permission du roi, le cadet se rend donc au château et y allume un feu. Deux grands chats noirs et féroces apparaissent et proposent de jouer aux cartes. « Si vous voulez, dit-il, mais montrez-moi d'abord vos pattes. Ah, vous en avez des griffes ! Il faut que je vous les lime. » Après avoir serré leurs pattes dans des étaux, il leur dit : « Je vous ai inspectés attentivement, et cela m'a fait passer l'envie de jouer. » Puis il les tue et les jette à l'eau. Or, les chats incarnent les forces psychiques obscures qui, lorsque nous manquons d'attention, risquent de nous assaillir. Les examiner de près, c'est avant tout être témoin en les observant. S'approcher ainsi d'un état d'âme a pour effet de le dissiper, comme d'être pleinement conscient de son désir finit par l'éteindre. De cette façon, le héros du conte tue son envie de jouer aux cartes.

Aussitôt surgissent des chats et des chiens noirs attachés à des chaînes incandescentes, ce qui démontre que l'exercice de la vigilance agite et réveille le contenu de l'inconscient. Le cadet est ainsi confronté à l'autre obstacle de la quête : la turbulence mentale. Les animaux piétinent le feu pour l'étouffer, tout comme, chez le méditant, l'agitation risque d'éclipser la vigilance. Le héros finit par triompher des bêtes, c'est-à-dire trouver l'équilibre entre la vigilance et la vie psychique (sentiments, émotions). Il ranime son feu et s'assied pour se chauffer, mais éprouve bientôt le besoin de s'endormir. Ainsi, une fois l'agitation mentale surmontée et le calme revenu, le deuxième obstacle se présente : l'endormissement. Il est donc à la fois nécessaire d'empêcher la vigilance de déboucher sur l'énervement, et la tranquillité de conduire à l'inertie. Le cadet s'allonge, mais au moment où le sommeil le gagne, le lit commence à se déplacer le long des corridors du château : lorsque son seuil de vigilance baisse, l'adepte tombe dans un état médiumnique et risque d'être la proie d'esprits d'autant plus néfastes qu'ils entretiennent ses tendances négatives. Le rôle de ces esprits consiste à empêcher le pèlerin de poursuivre sa route tant qu'il n'aura pas corrigé ses défauts. Il s'agit donc d'une épreuve utile qui protège contre des dangers éventuels plus graves si l'on accédait à certains états psychiques sans prendre les précautions nécessaires et neutraliser ses propensions vicieuses.

« Plus vite », ordonne le cadet, et le lit roule dans les escaliers et parcourt les étages du château. La vitesse augmente tellement qu'un accident devient inévitable : le lit culbute et se renverse sur le cadet qui rejette son fardeau, se relève et s'écrie : « Se promène là-dedans qui voudra. » Voilà la leçon que nous apprennent les esprits désincarnés lorsque nous échouons dans leurs filets. Nombre de ceux qui utilisent les esprits pour obtenir des services plus ou moins honnêtes ne peuvent plus s'en détacher et sont pris à leur propre piège. L'accident pousse ainsi le chercheur à se corriger et à se libérer.

A minuit, un grand fracas se produit et deux moitiés d'homme tombent de la cheminée puis s'assemblent pour former un être effrayant qui *s'assied à la place du cadet* : une entité spirite essaie de prendre possession de son corps. Mais il réagit (« *Cette place est à moi !* »), résiste à l'emprise et reste maître de lui-même. Le spectre veut le repousser, l'empêcher d'incarner son individualité, mais le jeune homme se rebiffe, lui administre une bonne raclée, puis reprend sa place. Ainsi, en expédiant l'entité, il rend positif son don de médium.

D'autres hommes tombent, saisissent neuf tibias et deux crânes pour jouer aux quilles. Le héros exprime son désir de participer. « Oui, répondent-ils, si tu as de l'argent. — J'en ai, dit-il, mais vos boules ne sont pas assez rondes. » Il place les crânes sur son tour et les arrondit. Cependant, il perd de l'argent à ce jeu. A minuit, tout s'évanouit, prouvant ainsi qu'il avait eu pour partenaires non pas des êtres de chair et d'os, mais des entités occultes. Le jeu du cadet avec la mort désigne le processus subi par tout prétendant à l'initiation. En effet, la balle et la quille symbolisent les sexes féminin et masculin, et donc la pulsion de mort qui règne sur la sexualité. Ici, cette pulsion ne signifie pas uniquement la perte du sperme, mais aussi la présence constante du squelette et donc, de la mort derrière ce qui constitue l'attrait érotique : formes cutanées et musculaires. Ainsi, on initie le cadet à porter son regard au-delà des apparences à la manière du tantrique qui, méditant sur la tombe et visualisant le squelette, se détache des choses éphémères. L'enjeu consiste à déceler la beauté spirituelle en deçà des formes charnelles.

Ce passage du conte présente deux mises en garde :

— l'une contre le danger de mort encouru par celui qui prête son corps à des entités spirites, capables d'absorber toute l'énergie vitale du vivant et de le détruire ;

— l'autre concernant le prix à payer pour l'éveil spirituel, proportionnel au degré d'usure infligé à l'organisme par le processus de mort. La lucidité éclôt grâce à une certaine diminution de notre effervescence corporelle, d'où l'amoindrissement des ressources humaines, souvent provoqué par l'avancement spirituel.

A plusieurs reprises, le héros se trouve en

compagnie des morts et chaque fois, il propose de les réchauffer, soit avec son feu, soit avec sa propre chaleur corporelle. Or, tout au long du récit, cette disposition compatissante du cadet le protège justement de la peur. L'énigme de l'histoire consiste-t-elle alors à éprouver la frousse, ou à apprendre à côtoyer la mort sans en avoir peur ? Personne ne pourrait, en effet, affronter toutes ces horreurs s'il était sujet aux émotions. Donc le cadet est parfaitement bien choisi pour désencorceler le château. Si le texte n'exclut pas l'idée que le cadet a besoin d'éveiller sa capacité de sentir, il ne donne pas non plus l'impression qu'il lui manque du sentiment. Bien au contraire, ce garçon ne cesse d'exprimer sa bienveillance, même envers ceux qui le traitent méchamment. En couchant un cadavre pour le réchauffer dans son lit, il consent, en somme, à affronter la mort de près. Ce conte semble contenir des éléments qui relèvent de pratiques initiatiques du tantra oriental. En effet, le cadavre revient à la vie et menace d'étrangler son bienfaiteur. Les textes tantriques incitent leurs adeptes à surmonter la peur de la mort en s'asseyant, la nuit, sur un cadavre qui, réagissant à des incantations et autres cultes secrets, se réveille et risque de dévorer le méditant s'il ne lui donne pas à manger.

« Maintenant, tu vas connaître la peur car tu vas mourir. — Pour mourir, répond le jeune homme, *il faut que je sois là.* » Ces paroles situent le héros dans la phase terminale de l'initiation consistant en l'anéantissement de l'ego. Sa réponse aux menaces de mort comporte deux points :

— L'initié, ayant découvert l'intemporel, ne peut être tué car il n'attache plus d'importance à la destruction de son enveloppe charnelle.

— L'ego, transcendé, n'existe donc plus et ce qui n'existe pas ne peut être tué.

Sitôt le mort-vivant vaincu par le cadet, un vieillard barbu, d'aspect effroyable, entre dans la pièce et l'emmène dans les corridors sombres vers l'épreuve finale de la mort. Ayant enfoncé d'un coup de hache une enclume dans le sol, il défie le héros de faire mieux. Celui-ci fend alors l'enclume tout en y coinçant la barbe du vieux. Cet acte symbolise la faculté de discerner l'éternel de l'éphémère, laquelle, développée, procure à l'adepte le pouvoir de pénétrer dans l'intimité des phénomènes comme la hache dans l'enclume. De même que par cet acte, la barbe du vieux se fige, de même, le discernement immobilise et calme les démons de l'esprit. Alors seulement le cadet reçoit la récompense de sa quête ; il gracie le vieux qui lui promet trois ·offres pleins d'or cachés dans les caves du château. Qui sort victorieux de la traversée de l'inconscient voit renaître ses facultés, purifiées et perspicaces (les trois coffres d'or). Le vieux signale que l'un des coffres est destiné aux pauvres, le deuxième au roi et le troisième au cadet, couvrant ainsi les trois domaines de l'existence : le social (les pauvres), le spirituel (le roi) et le personnel (le cadet). Maintenant, le héros doit revenir à la vie sociale et y apporter le fruit de sa recherche, les bienfaits de sa présence. En épousant la princesse, il est amené à s'occuper des

173

choses quotidiennes, à gérer le royaume et à corriger ainsi son inefficacité pratique. A la fin du conte, la situation s'inverse. Par son mariage, représentant l'union harmonieuse entre l'innocence et le monde, le héros s'intègre à la société sans assister à la corruption de ses valeurs spirituelles.

Le Vaillant Petit Tailleur[1]

Ainsi que nous l'avons précisé dans le chapitre Contes de fées et types d'enfance, c'est l'enfant précoce, prompt à ruser et à manipuler, qui profite le mieux de récits comme *Le Vaillant Petit Tailleur*. Cette histoire révèle comment l'intelligence et la ruse peuvent servir à des fins altruistes et positives, fructueuses pour soi et la communauté. Au départ, le Petit Tailleur utilise sa ruse égoïstement : par exemple, afin de faire monter à son appartement la marchande de confitures, il lui laisse entendre qu'il achètera tout son panier, mais une fois la pauvre femme essoufflée devant lui, il ne prend finalement qu'un seul pot. Pour satisfaire ses désirs, il n'hésite pas à mentir, comme lorsqu'il brode sur sa ceinture la phrase : « Sept d'un coup. » En réalité, il s'agit de mouches qu'il vient de tuer autour de son pot de confiture, mais il prétend avoir vaincu seul

1. Grimm, *Contes*.

174

sept géants. Ce mensonge précipite notre héros dans des situations périlleuses, et le destin lui renvoie, tel un boomerang, les contraintes appropriées qui l'obligent à corriger ses tendances perverses et à se rendre ainsi constructif pour la société.

Le roi lui demande de débarrasser le royaume des géants ravageurs, et le Petit Tailleur, même s'il se sent pris au dépourvu, ne peut plus reculer et doit accomplir cette tâche. A présent chétif et faible, il trouve l'occasion de développer ses forces et capacités réelles, et les géants lui serviront d'apprentissage. Le tailleur est remarquablement attentif à l'environnement : il entend la marchande crier dans la rue, assomme les mouches, ramasse ce qui lui tombe sous la main, parcourt la vie en observant tout ce qu'elle offre. Son ingéniosité et sa compétence s'éveillent grâce à sa présence aux choses. Voilà qui finit par purifier son égoïsme et sa corruption. Un esprit nourri de communion ne conçoit pas le vice. L'innocence revient, mais mûrie par son combat avec le mal.

Ce conte montre à l'enfant comment la lucidité peut aider à résoudre les problèmes de l'existence. Le tailleur ruse avec le géant, lui fait croire qu'en serrant un caillou dans sa main, il en extrait de l'eau, alors qu'en réalité il ne tenait pas un caillou mais un morceau de fromage. Ces scènes révèlent au jeune lecteur la manière dont l'habileté peut suppléer aux déficiences physiques. Le tailleur sait qu'il est petit et chétif, qu'il n'a jamais assommé de géants, et cela pose un problème concernant tout un chacun : indécis et hésitant dans mon for intérieur, comment me diriger avec assurance ? Me sentant perdu devant la complexité de la vie, comment me forger une personnalité confiante et efficace ? Car l'homme n'est rien, mais il doit agir comme s'il était quelqu'un. Voilà la leçon du Vaillant Petit Tailleur qui, malgré sa faiblesse bien humaine, parvient à se valoriser aux yeux des géants et à paraître plus fort qu'eux.

Le tailleur se présente toujours de bonne humeur, travaillant gaiement, marchant joyeusement et se comportant avec témérité. Son secret : écarter les sentiments négatifs grâce à son discernement et ainsi éviter le découragement. Ce procédé est-il acceptable ? Oui, car les gens jugent d'après ce qu'ils voient et profitent de vos faiblesses pour vous enfoncer davantage. Oui, parce que cela permet de poursuivre ses expériences intérieures et son évolution spirituelle clandestinement, même si elles soulèvent parfois des états d'âme opposés aux caractéristiques sociales du sujet. L'initié rencontre les mêmes difficultés : passant par le bouleversement de son identité et par le détachement que cela suppose, il doit néanmoins apparaître à ses semblables comme une individualité sûre et engagée. L'importance de la présentation personnelle est manifeste puisqu'elle permet au tailleur un mariage royal. Bien que peu décidé à donner la main de sa fille avec la moitié du royaume au vainqueur, le roi est obligé de tenir sa promesse, les trois exploits exigés étant accomplis. Il s'y résout, croyant marier sa fille non pas à un pauvre petit tailleur, mais à un vaillant guerrier.

Le conte nous éblouit encore lorsque, tout en équipant l'enfant d'atouts précieux pour son devenir terrestre, il le prévient du malheur mérité par ceux (les géants, le roi) qui se fient uniquement aux apparences.

La nuance la plus subtile du récit réside dans le fait que le tailleur n'essaie pas d'amoindrir délibérément les géants, mais s'efforce seulement de leur être supérieur, utilisant légitimement son potentiel humain. De même, à condition de ne pas nuire expressément à autrui, l'accession à des positions élevées est tout à fait justifiée. Ainsi, le Petit Tailleur parvient à épouser la princesse et à hériter de la moitié du royaume, ce qui souligne la futilité d'une intelligence qui ne ferait pas alliance avec l'amour.

Symboles, images, archétypes engendrent chez l'enfant des forces qui l'initieront à la vie et à la découverte de lui-même. Cette action double, merveilleuse, inhérente aux contes de fées, combat la tendance à séparer le spirituel du matériel et guérit l'homme de ce clivage conflictuel.

Cependant, les effets des contes dépendent, dans une large mesure, de la façon dont parents et éducateurs les relatent. Lus, ils agissent moins bien que racontés ; moralisés de manière étroite et conventionnelle, leur portée spirituelle et universelle risque d'en pâtir ; rationnalisés, ils n'atteindraient plus les couches profondes de la psyché et perdraient leur pouvoir transformateur. Les passages étrangers à notre logique, essentiels, devraient être dits tels quels, avec soin et attention afin de ne pas nuire à l'apport global des contes.

Leur aspect thérapeutique pourrait être exploité en les faisant jouer par les enfants, vêtus de costumes et de vieux habits, propres à favoriser la liberté d'expression.

179

L'éducateur recevrait des renseignements précieux sur les processus internes (physiologiques et psychiques) à l'œuvre chez l'enfant grâce aux paroles et dessins extériorisés par ce dernier sous l'influence des contes.

Ces usages réfutent la critique d'irréalisme dont les contes sont parfois l'objet.

BIBLIOGRAPHIE

Contes, Grimm, Éd. Gallimard, Paris, 1976.

Contes et légendes de Provence, André Pézard, Éd. Fernand Nathan, Paris.

L'Individuation dans les contes de fées, M.-L. Von Franz, Éd. Fontaine de Pierre, Paris.

L'Interprétation des contes de fées, M.-L. Von Franz, Éd. Fontaine de Pierre, Paris.

Psychanalyse des contes de fées, Bruno Bettelheim, Éd. Laffont, Paris, 1976.

L'Avenir et la pensée-image, Éd. Triade, Paris, 1980.

TABLE

La composition,
l'impression et le brochage de ce livre
ont été effectués par l'imprimerie Bussière
à Saint-Amand (Cher),
pour les Éditions Albin Michel

AM

Achevé d'imprimer en janvier 1992.
N° d'édition : 12222. N° d'impression : 269.
Dépôt légal : janvier 1992.